KAAA Prompt Challenge 25 #002

프롬프트 아카이브 북

한국AI작가협회
김예은 외 13명 지음

목   차(Contents List)

추천사 및 격려사

프롬프트 챌린지 25 매니저 루돌뿌

한국AI작가협회 프롬프트 챌린지 여행자들의
두 번째 아카이브 북 출간을 진심으로 축하합니다.

이 책은 한국AI작가협회 이사장 노바에듀님의 지휘로
두 번째 도전을 성공적으로 마친 여행자들
개개인의 이야기가 담겨 있습니다.

AI를 활용하여 멋진 세상을 펼쳐나가는 창작자들에게
실용적인 가이드와 아이디어를 제공할 것입니다.

혼자라면 완수하지 못했을 도전을 협회 내에서 서로 끌어주고 밀어주며
결과물을 만들어가는 과정을 지켜보며 감동의 연속인 나날이었습니다.

이 책이 많은 이들에게 영감을 주고
예술과 기술의 융합을 통해 새로운 차원의 창작을 이끌어내기를 기대합니다.

협회소개

AI와 함께 인간의 창의성이 만나 창의적인 날개를 펼칠 수 있는 곳

AI는 이제 단순한 도구가 아닙니다. AI를 활용하는 사람과 그렇지 못한 사람의 차이는 무려 10,000배, 마치 사람과 금붕어의 차이만큼이나 엄청난 격차가 벌어질 것이라고 합니다. 이미 기업들은 AI 활용 능력을 채용의 필수 조건으로 요구하고 있습니다. 지금이 바로 AI를 배우고, 자신의 가치를 높여야 할 때입니다.

혹시 지금 이 순간에도 AI라는 거대한 파도 앞에서 막막함을 느끼고 계신가요? 배우고 싶지만 정보는 넘쳐나고, 믿을 만한 곳은 찾기 어렵습니다. 해외의 앞선 기술은 그림의 떡처럼 느껴지고, 혼자서는 도저히 따라갈 수 없을 것만 같습니다.

이제 혼자 고민하지 마세요! 한국AI작가협회는 바로 당신과 같은 고민을 가진 사람들이 모여 함께 성장하는 곳입니다.

우리는 처음부터 당신과 같은 고민을 가진 사람들을 위해 탄생했습니다.

- 배움에 목마른 당신을 위해: 최신 AI 기술 트렌드부터 실전 노하우까지, 믿을 수 있는 전문가들이 체계적인 교육 프로그램을 제공합니다.

- 질문이 많은 당신을 위해: 혼자 끙끙 앓지 마세요. 협회 커뮤니티에서 언제든 질문하고, 함께 고민하며 성장하는 즐거움을 누리세요.

- 언어 장벽에 답답한 당신을 위해: 해외 최신 정보와 자료를 한국어로 쉽게 접하고, 글로벌 AI 커뮤니티와 소통할 수 있는 기회를 제공합니다.

한국AI작가협회는 AI 작가라면 누구나 꿈꾸는 미래를 현실로 만들어 드립니다.

더 이상 망설이지 마세요! 지금 바로 한국AI작가협회의 문을 두드리고, AI 시대의 주인공이 되어 새로운 미래를 함께 만들어 갑시다!

☞ 협회는 어떤 사람에게 도움이 될까요?

• 나만의 콘텐츠로 세상을 감동시키고 싶은 당신: AI의 도움을 받아 그림, 영상, 글, 음악 등 다양한 형태의 콘텐츠를 제작하고, 세상과 소통하는 기쁨을 누려보세요.

• AI 기술을 활용하여 수익을 창출하고 싶은 당신: 협회의 지원을 통해 작품 전시, 판매, 저작권 보호 등 다양한 수익 창출 기회를 얻을 수 있습니다.

• AI 분야의 리더로 성장하고 싶은 당신: 협회의 네트워킹 기회를 통해 업계 전문가들과 교류하고, 최신 정보를 공유하며 끊임없이 성장하는 발판을 마련하세요.

☞ 누구든 환영합니다! 🐌
AI 작가라면 누구나, 지금 바로 한국AI작가협회의 문을 두드리세요!
함께 성장하고, 함께 꿈꾸는 미래, 한국AI작가협회가 응원합니다!

회원가입 : https://bit.ly/aiart24

연혁

24.07.27	Prompt Archive Book #001 전시	문래동 단수이
24.04.27	그림책, 마음을 잇다 전시	인사동 하나아트갤러리
23.12.21	가장 전통적인 공간과 메타버스의 만남 전시 (시어스랩 X 더밀크 X 한국AI작가협회)7일 진행	북촌 한옥마을 물나무 사진관
23.12.09	HYPE 카페 X PCW 4계절 콜렉션	매봉 카페 HYPE
23.11.23	2023 대한민국정부박람회	부산 벡스코 제2전시장
23.09-12	글쓰기 출판과정 1기	신중년을 위한 세상에서 가장 쉬운 AI 가이드 공저
23.09.15	Shanghai Art Collection Museum 업무협약	
23.08-09	제1기 AI기초강사 양성과정(2달 과정)	
23.07.01	예술, AI를 품고 날개를 달다 세계 첫 한중일 AI르네상스 (30일 진행)	청담 아트불갤러리
23.05.29	행운의 냥발 NFT 전시회(5일 진행)	대전 NFT카페 FOMO
23.04.26	한국AI작가협회, 엔페타 업무협약	
23.04.09	한일국제교류전시회 이시카와 현	HARMONIE 갤러리
23.04.03	한국AI작가협회 설립	

프롬프트 챌린지 : 창의력과 실력을 키우는 여정

프롬프트 챌린지는 그림을 보고 그에 대한 묘사를 통해 프롬프트를 만드는 과정입니다. 이 과정은 두 단계로 이루어집니다. 먼저, 그림을 보고 자신만의 프롬프트를 작성해 봅니다. 그런 다음, 다음 날 제공되는 프롬프트를 참고하여 응용하고 발전시키면서 실력을 키우는 여정입니다.

이 챌린지를 통해 창의력과 묘사 능력을 동시에 향상시킬 수 있습니다. 그림을 보고 떠오르는 생각을 글로 표현하고, 이를 반복하면서 점점 더 풍부하고 생동감 있는 프롬프트를 작성하게 될 것입니다. 이 과정을 통해 여러분의 글쓰기 실력은 물론, 창의적인 사고력도 한층 더 성장하게 될 것입니다.

챌린지 방법

이미지 묘사 작성 방법
1. 이미지를 보고 자유롭게 묘사를 해봅니다.
2. 묘사한 내용을 한글로 적습니다.
3. 한글로 적은 것을 영어로 번역하여 이미지를 직접 작성합니다.
4. 작성한 이미지와 함께 업로드합니다.

프롬프트 변형 작성 방법
1. 기존의 프롬프트를 연구합니다.
2. 부분을 수정합니다.(색상, 배경, 위치, 요소, 스타일 등)
3. 바뀐 부분 안내와 함께 프롬프트와 이미지를 올립니다.

두 번째 프롬프트 챌린지 주제 : 사계절의 매력

이번 2기 프롬프트 챌린지의 주제는 바로 사계절의 매력입니다.

이번 작품을 통해 우리는 봄, 여름, 가을, 겨울이 가진 고유한 아름다움을 표현했습니다.

각 계절의 작품에는 자연이 선사하는 특별한 감동과 힐링의 순간들이 담겨 있습니다.

봄은 새싹이 돋아나는 싱그러움과 새로운 시작의 설렘을 선사합니다. 피어나는 꽃들은 우리에게 다시 시작할 용기를 줍니다.

여름은 뜨거운 태양과 푸른 바다의 자유로움을 표현하며, 삶의 활력과 도전의 에너지를 불어넣습니다.

가을은 고마운 분께 편지와 자수를 선물하며 감사의 마음을 전하는 계절입니다. 떨어지는 낙엽처럼 소중한 추억을 떠올리며 감사를 표현하는 따뜻한 시간이죠.

겨울은 차가운 날씨 속 따뜻한 휴식과 고요함을 통해 마음의 여유를 찾게 해줍니다. 이는 더 큰 꿈을 위한 재충전의 시간이 됩니다.

이 작품들을 통해 사계절의 매력을 느끼며 여러분도 자연의 변화 속에서 작은 기쁨과 위로를 발견하시길 바랍니다. 각 계절이 선사하는 특별한 순간들이 여러분의 마음에 따뜻하게 다가가길 바랍니다.

노바에듀(Novaedu)_김예은

000 Overalls_Day 01~20

Prompt Artwork Collection

000 Overalls_Day 21~31

Prompt Artwork Collection

000-01

Artwork Prompt

cute kawaii cat in garden pot.

귀여운 고양이가 정원 화분 안에 있다.

[작품설명]
봄을 알리는 고양이를 닮은 귀여운 요정이 화분에서 등장했어요!

000-02

Artwork Prompt

A vibrant spring scene in a beautiful park filled with blooming cherry blossom trees. The sky is a clear, bright blue with a few fluffy white clouds. The ground is covered with fresh green grass and sprinkled with colorful wildflowers. People are enjoying the warm weather, some having a picnic on a blanket, others strolling along the pathways. Children are flying kites, and a gentle breeze is scattering cherry blossom petals through the air. The overall atmosphere is cheerful and full of life, capturing the essence of spring.

만개한 벚꽃나무로 가득한 아름다운 공원의 활기찬 봄 장면. 하늘은 맑고 밝은 파란색이며 몇 개의 솜털 같은 흰 구름이 떠 있다. 땅은 신선한 녹색 잔디로 덮여 있고 형형색색의 야생화가 뿌려져 있다. 사람들이 따뜻한 날씨를 즐기며, 어떤 사람들은 담요 위에서 피크닉을 하고 있고, 다른 사람들은 길을 따라 산책을 하고 있다. 아이들은 연을 날리고, 부드러운 바람이 벚꽃 잎을 공중에 흩뿌린다. 전체적인 분위기는 명랑하고 생기 넘치며 봄의 본질을 포착한다.

[작품설명]
요정이 처음 본 봄의 장면은 아름다운 공원에서 가족들이 휴식을 즐기는 모습이에요.
봄은 이처럼 편안하게 여유를 즐기기 좋답니다.

000-03

Artwork Prompt

A picturesque scene of a lake in a Japanese-style park, adorned with blooming cherry blossoms, creating a dreamy and serene atmosphere.

흐드러지게 핀 벚꽃으로 장식된 일본식 공원의 그림 같은 호수 풍경이 몽환적이고 고요한 분위기를 연출합니다.

[작품설명]
요정을 날아가서 도착한 곳은 호수에요. 호수의 매력은 물에 비친 건물이죠.
봄을 대표하는 벚꽃이 있어서 더 호수가 아름답게 표현했어요.

000-04

Artwork Prompt

cute cartoon stickmen drawing of two lovers, cartoon figures, lifting up a torn part of the paper. drawn on lined notebook paper. the paper has a jagged hole in it, showing the paper behind it. a sense of depth.. they are writing the word "I love Spring" in BIG large text, hearts are all over the page.

두 연인의 귀여운 만화 스틱맨 그림, 만화 인물, 종이의 찢어진 부분을 들어 올리는 그림. 줄이 그어진 공책 종이에 그려져 있습니다. 종이에 뾰족한 구멍이 있어 뒤에 종이가 보입니다. 깊이감. 그들은 큰 글씨로 "I love Spring"이라는 단어를 쓰고 있고, 하트는 페이지 전체에 걸쳐 있습니다.

[작품설명]
아이들의 귀여운 낙서 종이에요. 봄을 표현하는 그림이 잘 어울리죠.

000-05

Artwork Prompt

Create an abstract image of a flower in soft pastel colors. The flower should have flowing translucent petals with a mix of colors representing spring. The design should have an ethereal, dreamy feel with soft gradients and a sense of depth and movement in the petals. Include subtle highlights and shadows to emphasize the delicate, otherworldly look of the flower. There should be no text in the image

부드러운 파스텔 색상으로 꽃의 추상적인 이미지를 만듭니다. 꽃은 봄을 상징하는 색상이 혼합된 반투명 꽃잎이 흐르고 있어야 합니다. 부드러운 그라데이션과 꽃잎의 깊이감과 움직임이 있는 미묘하고 몽환적인 느낌을 주는 디자인이어야 합니다. 꽃의 섬세하고 이국적인 모습을 강조하기 위해 미묘한 하이라이트와 그림자를 포함하세요. 이미지에 텍스트가 없어야 합니다.

[작품설명]
화사한 봄을 상징하는 색상을 이용하여 꽃을 추상적으로 표현했어요.
꽃이 살아있는 것 같아 더 매력적으로 보이는 것 같이 만들었어요.

000-06

Artwork Prompt

Cute doodle style icons, pastel colors with simple lines on white background. Simple vector graphics contain representative images of spring. Set of stickers with cute little faces and good composition --ar 1:1 --stylize 500

귀여운 낙서 스타일의 아이콘, 흰색 배경에 단순한 선이 있는 파스텔 색상. 간단한 벡터 그래픽에는 봄의 대표적인 이미지가 포함되어 있습니다. 귀여운 작은 얼굴과 좋은 구도의 스티커 세트 --AR 1:1 —stylize 500

[작품설명]
봄을 대표하는 이미지들로 만들어진 스티커에요.
스티커에 귀여운 작은 얼굴이 있어서 더 아기자기하면서 귀엽게 표현했어요.

000-07

Artwork Prompt

Stained glass illustration on white background, 3D, happy cat with a bird on its head, minimalist painting style with a touch of spring, sleeping with crossed legs, very detailed, illustration made in colors representative of drawn spring

흰색 배경에 스테인드 글라스 일러스트, 3D, 머리에 새를 가진 행복한 고양이, 봄의 터치가있는 미니멀 한 그림 스타일, 다리를 꼬고 자고, 매우 섬세한, 그려진 봄을 대표하는 색상으로 만든 일 러스트

[작품설명]
봄의 햇살을 잘 표현하는 것이 스테인드 글라스 같아요.
스테인드 글라스에 봄을 대표하는 색상으로 행복한 고양이를 표현해보았어요.

Artwork Prompt

polaroid instax photograph of a gradient sunset, summer --ar 3:4 --style raw

그라데이션 일몰의 폴라로이드 인스탁스 사진, 여름 --ar 3:4 —style raw

[작품설명]
봄의 느낌을 잘 표현하는 것이 폴라로이드 사진이죠.
감성과 느낌을 동시에 잡을 수 있어 좋은 것 같아요.
여름은 해가 뜨면 너무 뜨겁죠? 적당히 해가 진 풍경의 따뜻한 느낌을 표현해보았어요.

000-09

Artwork Prompt

A five-month-old korea baby girl happily looks at the blue sky and white clouds outside the window, the sea and grassland, smiling face, big eyes, rich colors, the baby is wearing cute clothes, korea style, summer, watermelon cold drink, baby realistic wind,--ar 16:9,--q+,--s750

5개월 된 한국 여자 아기가 창밖의 푸른 하늘과 흰 구름, 바다와 초원, 웃는 얼굴, 큰 눈, 풍부한 색상, 아기가 귀여운 옷을 입고, 한국 스타일, 여름, 수박 냉 음료, 아기 사실적인 바람,--ar 16:9,--q+,--s750

[작품설명]
여름의 대표 과일이 수박이죠!
귀여운 아이들과 함께 수박과 수박주스를 마시면서 더위를 식히는 것은 어떠실까요?

000-10

Artwork Prompt

girl, with watermelon, short hair, summer day, traditional house, old electric fan, contented smile, casual denim shorts, wooden floor, open doorway, green and white plants, relaxing, simple living, cozy atmosphere, leisure time, books beside, slice of life, refreshing moment --ar 3:4

수박을 든 소녀, 짧은 머리, 여름날, 전통 가옥, 오래된 선풍기, 만족스러운 미소, 캐주얼 데님 반바지, 나무 바닥, 열린 문, 녹색과 흰색 식물, 휴식, 소박한 생활, 아늑한 분위기, 여가 시간, 책 옆, 삶의 한 조각, 상쾌한 순간 —ar 3:4

[작품설명]
여름엔 휴가철이죠?
휴가를 맞아서 고향에 방문한 소녀를 통해 소박하고 따뜻한 분위기를 느끼게 하고 싶었어요.

Artwork Prompt

woman relaxing at the beach, kaoru umezu style, soft ray light, summer --ar 3:4

해변에서 휴식하는 여성, 카즈오 우메즈 스타일, 부드러운 광선 빛, 여름

[작품설명]
여름하면 가장 떠오르는 것이 바로 아름다운 해변인 것 같아요.
부드러운 햇살과 시원하고 잔잔한 파도가 있는 해변
지친 일상을 달래주는 데 최고인 거 같아요.

000-12

Artwork Prompt

a cute girl standing in the water on the beach in summer, in the style of nightcore, light navy and light gray, blink-and-you-miss-it detail, fragmented memories, water drops, ocean academia, heavy shading --ar 45:64

여름 해변에서 물속에 서 있는 귀여운 소녀, 나이트코어 스타일, 밝은 네이비와 밝은 회색, 깜박이면 놓치는 디테일, 파편화된 기억, 물방울, 해양 아카데미, 무거운 음영 —AR 45:64

[작품설명]
여름하면 비키니죠? 살짝 야한 분위기이긴 하지만 여름을 대표하는 패션이라서
과감히 만들어보았어요. 물방울이 튀겨서 더 생동감이 있는 작품이에요.
보시는 순간 더운 여름, 뛰어들고 싶으시죠?

Artwork Prompt

a summer beach border pattern, flat style vector illustrations, light colors --ar 44:61

여름 해변 테두리 패턴, 플랫 스타일 벡터 일러스트, 밝은 색상 —AR 44:61

[작품설명]
작품을 만들 때 제가 항상 하는 이야기가 작가가 아닌 이 작품을 사용하시려는 분이
어떤 목적으로 사용하면 좋을 지를 생각하고 만드시면 좋겠다는 거였어요.
요새 프리젠테이션이나 카드뉴스를 만드시는 분들이 많아서 사용하기 편한
플랫 스타일의 벡터 일러스트 작품을 만들어 보았어요.

000-14

Artwork Prompt

watercolor beach umbrella and chair with palm tree, white background, blue stripes, clipart style on the bottom of page --ar 23:35

야자수, 흰색 배경, 파란색 줄무늬, 페이지 하단의 클립아트 스타일이 있는 수채화 해변 우산과 의자 —AR 23:35

[작품설명]
이 작품 역시 위의 작품처럼 카드뉴스 요소로 사용하시기 좋으실 듯한 클립아트 스타일입니다. 엽서나 카드로 사용하셔도 좋으실 듯해요.

000-15

Artwork Prompt

Very bright vegetable autumn watercolor background, pastel colors, low contrast, autumn --ar 9:16

매우 밝은 식물성 가을 수채화 배경, 파스텔 색상, 낮은 대비, 가을 --ar 9:16

[작품설명]
드디어 여름 지나 가을이네요.
가을엔 붉은 색과 따뜻함이죠.
낙엽으로 할까하다가 식물성 가을 수채화라고 적으니 더 다양한 작품들이 많이 나오더라고요.
사람들은 아는 것은 보이고, 아는 것만 쓴다고 하잖아요.
한번 쯤은 실험적인 단어로 나도 몰랐던 세계를 알아가는 것도 좋은 것 같아요 ^^

000-16

Artwork Prompt

Flat minimalist illustration,A Chinese boy wearing overalls and a hat stands in a sunflower field, smiling at the camera on a sunny day. It is a full body photo with soft light and a long distance view, in the style of natural scenery photography. The wide-angle perspective shows warm colors and a joyful atmosphere. --ar 3:4

플랫 미니멀리스트 일러스트, 작업복과 모자를 쓴 중국 소년이 해바라기 밭에 서서 화창한 날 카메라를 향해 미소 짓고 있습니다. 자연 풍경 사진 스타일로 부드러운 빛과 먼 거리에서 바라본 전신 사진입니다. 광각 원근감으로 따뜻한 색감과 즐거운 분위기를 보여줍니다. --AR 3:4

[작품설명]
가을하면 어떤 것이 대표 꽃이지 하고 찾아보니 해바라기더라고요.
아직은 우리나라의 해바라기 밭이 그렇게 유명하진 않은 것 같은데.
제가 몰라서 그럴수도 있고요
광활하게 펼쳐지려면 땅이 넓은 중국이 나은 것 같아서 중국 배경으로 만들어보았어요.
나라별로 소년을 바꾸면 또 느낌이 달라지실 거에요.

Artwork Prompt

A charming autumn card design in beautiful autumn pastel colors. On the front, the phrase "Happy Autumn" is written with a soft yarn thread in delicate pastel shades such as brown, light red, mint yellow, and lavender. The lettering looks as if it has just been crocheted. Next to the lettering, there is a crochet hook holding the yarn, seemingly just finishing the last letter. The background of the card is in a soft, solid pastel color to highlight the lettering and the crochet hook --ar 2:3

아름다운 가을 파스텔 색상의 매력적인 가을 카드 디자인입니다. 앞면에는 브라운, 라이트 레드, 민트 옐로우, 라벤더 등 섬세한 파스텔 톤의 부드러운 실로 "행복한 가을"이라는 문구가 적혀 있습니다. 글자는 마치 방금 뜨개질을 한 것처럼 보입니다. 글자 옆에는 마지막 글자를 막 완성한 것처럼 보이는 뜨개질 고리가 실을 고정하고 있습니다. 카드의 배경은 부드럽고 단색의 파스텔 색상으로 글자와 크로셰 후크를 강조합니다. --ar 2:3

[작품소개]
가을엔 따뜻함과 포근함을 느낄 수 있는 뜨개질로 만든 카드를 고마우신 분에게 선물하시는 것은 어떠실까요? 처음이라 삐뚤빼뚤하겠지만 종이에 적는 것보단 더 감동으로 다가올 것 같아요.

000-18

Artwork Prompt

A handmade, flat, printable, lined notebook page for writing, neat lines for writing, fabric shabby chic pumpkins, bows, lace pattern border, pink and ivory, children's book illustration --ar 5:7

수제, 평면, 인쇄 가능한, 필기 용 줄이 그어진 노트북 페이지, 필기 용 깔끔한 선, 패브릭 초라한 세련된 호박, 리본, 레이스 패턴 테두리, 분홍색과 아이보리, 어린이 책 삽화 —ar 5:7

[작품설명]
가을엔 편지를 하겠어요. 라는 노래가 있을 정도로 가을엔 감수성이 높아져서 시나 편지를 쓰기 딱 좋은 것 같아요. 물론 구매한 편지지가 예쁘겠지만 조금이라도 직접 꾸미시면 더 감동이 배로 다가올 것 같아요. 어린이 책 삽화 프롬프트를 이용해서 더 아기자기함을 더했어요

000-19

Artwork Prompt

Autumn poster background template with sea crab and , text space, blue sky watercolor background vector illustration in autumn style. --ar 65:93

가을 스타일의 꽃게와 텍스트 공간, 푸른 하늘 수채화 배경 벡터 일러스트가 있는 가을 포스터 배경 템플릿입니다. --ar 65:93

[작품설명]
원래 편지지로 할까 하다가 또 똑같다고 생각이 들어서 포스터로 바꿨어요.
비하인드 스토리는 꽃게와 문어 또는 낙지로 하려고 했는데 글자가 잘려서 bbb
crab and , 가 된거에요 ^^:;;
한번 마음에 드는 오브젝트를 넣어서 만들어보세요.

Artwork Prompt

A mother hedgehog feeding her baby hedgehog a fall apple, a simple and colorful art print with the text "Lovely mother and son" inspired by the unique style of John Klaassen. It uses desaturated, light and airy pastel colors that are perfect for nursery art. The artwork should be placed on a clean white background to capture the essence of a whimsical, calming children's book illustration. Emphasize the soft, calming tones of the image, making it ideal for a peaceful nursery environment. --ar 2:3

엄마 고슴도치가 아기 고슴도치에게 가을 사과를 먹이는 모습과 존 클라센의 독특한 스타일에서 영감을 받은 "사랑스러운 엄마와 아들"이라는 텍스트가 심플하고 컬러풀하게 프린트된 아트 프린트입니다. 유아용 아트에 적합한 채도가 낮고 가볍고 경쾌한 파스텔 색상을 사용했습니다. 기발하고 차분한 동화책 일러스트레이션의 본질을 포착하려면 깨끗한 흰색 배경에 아트워크를 배치해야 합니다. 이미지의 부드럽고 차분한 톤을 강조하여 평화로운 보육원 환경에 이상적입니다. --ar 2:3

[작품설명]
따뜻함을 느끼게 하기 위해서는 동화책이 최고인 것 같아요. 그런데 동화책에 보육원 단어가 붙고 존 클라센 영감까지 붙으면 이렇게 멋진 작품이 된답니다. 걸고 싶은 장소와 평상 시에 눈여겨 보셨던 작가도 넣어서 작품을 만들어보세요!

000-21

Artwork Prompt

Hand-drawn style map, autumn background, children's illustration, flat illustration with humanities and history along National Route 7 from Seoul to Busan.--ar 16:9

손 그림 스타일의 지도, 가을 배경, 어린이 일러스트, 서울에서 부산까지 7번 국도를 따라 인문학과 역사가 담긴 평면 일러스트 —ar 16:9

[작품설명]
예전에 부모님과 우리나라 7번 국도가 제일 예쁘다고 해서 7번 국도를 자동차로 여행했던 것이 생각나서 만들어보았어요.
다들 추억이 있으신 도로가 있으시죠? 그 도로를 이런 식으로 인문학과 역사가 담긴 평면 일러스트라는 프롬프트도 포함해서 만드신다면 더 추억이 아름답게 표현될 것 같아요.

Artwork Prompt

a korean woman walks on a beach with snow on her face, in the style of dark romantic, gongbi, ocean academia --ar 71:128 --style raw --stylize 1000

어두운 로맨틱, 공비, 해양 학계 스타일로 얼굴에 눈이 내리는 해변을 걷는 여자 --ar 71:128 --style raw —stylize 1000

[작품설명]
겨울이네요.. 겨울하면 바로 눈이죠.
눈을 맞이하는 아름다운 여인을 만들고 싶었어요.
분위기가 로맨틱한가요? ^^

Artwork Prompt

a cute little girl holding a snowman with ice, in the style of realist: lifelike accuracy, 8k, oshare kei, soft and dreamy depictions, delicate portraits, distinctive noses, ming dynasty --ar 3:4

얼음으로 눈사람을 들고 있는 귀여운 소녀, 리얼리스트 스타일: 실사와 같은 정확성, 8K, 오쉐어 케이, 부드럽고 몽환적인 묘사, 섬세한 초상화, 독특한 코, 명나라 —ar 3:4

[작품설명]
지금처럼 스마트폰이 없는 과거에는 겨울 때 어떤 것을 하고 놀았을까요?
아이들은 눈사람을 만들고 친구로 삼아 겨울을 즐겁게 보냈을 것 같아요.
그런 마음을 담아서 만들어 보았어요.
과거가 아닌 미래의 아이들은 무엇을 하고 놀까요?
상상해서 만들어보시는 것도 즐거울 것 같습니다 ^^

Artwork Prompt

a beautiful Korean girl wearing white sweater and mittens, in the style of detailed facial features, soft, romantic scenes, snow scenes, 32k uhd, oshare kei, light red and light amber, gongbi --ar 3:4

흰색 스웨터와 장갑을 착용한 아름다운 한국 소녀, 세부적인 얼굴 특징, 부드럽고 낭만적인 장면, 설경, 32K UHD, 오쉐어 케이, 밝은 빨간색과 밝은 호박색, 공비 --ar 3:4

[작품설명]
보시기엔 이미지가 비슷해보일지 모르시겠지만
Day 22와 23일을 결합한 작품이었어요. 22일 작품의 핵심 키워드인 공비와 23일 작품의 핵심 키워드인 오쉐어 케이를 결합한 작품인 것이죠. 이런 식으로 다른 작품을 볼 때 각각의 작품의 아름다움을 느끼실 수도 있겠지만 융합해서 또 다른 작품으로 만들고 표현할 수 있는 것도 바로 AI 아트의 매력이지 않을까 싶습니다. 실제로 작품을 만드는 경우에는 이런 융합적 표현을 하기엔 아무래도 어려우니까요. 다양한 기법을 섞어서 여러분만의 표현 기법을 만들어보세요!

000-25

Artwork Prompt

a painting of a child and teddy bear in winter, in the style of charming character illustrations, soft color palette, booru, light teal and dark pink, colorful costumes, aquarellist, charming characters --ar 92:125 --stylize 50

매력적인 캐릭터 일러스트, 부드러운 색상 팔레트, 부루, 밝은 청록색과 진한 분홍색, 화려한 의상, 아퀼리스트, 매력적인 캐릭터 스타일의 겨울철 아이와 곰 인형 그림 --ar 92:125 --stylize 50

[작품설명]
살짝 투박하지만 그래서 더 따뜻한 느낌을 받을 수 있는 일러스트에요.
아퀼리스트라는 기법으로 수채화 느낌을 더 살렸어요.

Artwork Prompt

The comic version of the girl with shoulder-length hair has already made a snow angel on the ground. --ar 9:16

어깨 길이의 머리카락을 가진 소녀의 만화 버전은 이미 땅에 눈 천사를 만들었습니다. --ar 9:16

[작품설명]
겨울하면 떠오른 영화 중에 러브레터가 생각났어요.
러브레터에서 여자 주인공이 눈 위에 누워서 즐기는 장면이 보기 좋더라고요.
천사라고 하면 천사 그림이 나오기는 하지만 평화스런 느낌을 내기에는
가장 좋은 프롬프트 같습니다.

Artwork Prompt

christmas ceramic decoration. the collection has angel, reindeer, snowman and santa. they all have chubby round body. the color tone will be modern and subtle and pinkish and gold finish

크리스마스 세라믹 장식. 컬렉션에는 천사, 순록, 눈사람 및 산타가 있습니다. 그들은 모두 통통한 둥근 몸체를 가지고 있습니다. 색상 톤은 현대적이고 미묘하며 분홍빛과 금색 마감 처리됩니다.

[작품설명]
겨울하면 크리스마스가 떠오르시죠?
크리스마스를 맞이해서 벽난로 위에 옹기종이 모여 있는 세라믹 장식
오동통해서 더 귀여운 것 같아요.

000-28

Artwork Prompt

Crystal ball music box, glass ball with ice and snow world inside, pure white color tone, dreamy and beautiful, white base, close-up shot, white snow background, hazy snow mist --ar 3:4 --stylize 750

수정 구슬 오르골, 얼음과 눈의 세계가 있는 유리 공, 순수한 흰색 톤, 몽환적이고 아름다운, 흰색 바탕, 클로즈업 샷, 흰 눈 배경, 흐린 눈 안개 --ar 3:4 —stylize 750

[작품설명]
또 다른 겨울하면 생각하는 것이 스노우볼 오르골이라고 생각했어요.
뒤집으면 눈이 팔랑팔랑 떨어지는 겨울을 나타내기 가장 좋은 아이템이죠.
그 안을 어떻게 꾸미느냐에 따라 분위기도 달라지는 것 같아요.
저는 겨울 산에 놓인 스노우볼을 표현했지만 다른 장소에 놓인 스노우볼을 표현하시면
또 다른 매력을 느끼실 수 있으실 거에요.

Artwork Prompt

painting illustration, orange fruit that has surface like vibrant sparkling disco ball, mirror ball orange cut in half, sparkling mosaic art, aesthetic, illustration, sparkles, aesthetic , glam art, plain cream background, glamorous Citrus hybrid --ar 4:5

그림 일러스트, 생생한 반짝이는 디스코 볼과 같은 표면을 가진 오렌지 과일, 반으로 자른 거울 공 오렌지, 반짝이는 모자이크 아트, 미적, 일러스트, 반짝임, 미적, 글램 아트, 일반 크림 배경, 화려한 감귤류 하이브리드 —ar 4:5

[작품설명]
겨울하면 대표적인 과일이 뭐지? 겨울에만 나오는 과일이 뭐지? 하고 찾아봤더니
오렌지, 감귤만 나오더라고요.
그래서 그 귤을 좀 더 예술적으로 표현하기 위해 디스코볼 표면과 글램아트를 접목해봤어요.
반짝임이 더 아름답게 귤을 표현한 것 같아서 좋아요.
다른 과일들도 만들어보세요. 또 다른 매력을 느끼실 수 있으실 거에요.

000-30

Artwork Prompt

Pure white snowflakes, Telephoto Lenses, High and short depth of field, Blind box toys, 16k, high resolution --ar 3:4 --stylize 750 --v 6

새하얀 눈송이, 망원 렌즈, 높고 짧은 피사계 심도, 블라인드 박스 장난감, 16k, 고해상도 —ar 3:4 --stylize 750 —v 6

[작품설명]
겨울의 눈꽃송이를 자세히 들여다보세요.
그럼 그 아름다움을 느끼실 수 있으실 거에요.
사람들도 마찬가지에요. 모여 있을 때는 별로 티가 나지 않겠지만 각각을 자세히 들여다보면
그 나름대로의 개성으로 빛납니다.
내 밭의 다이아몬드가 있는 지 모르고 남의 밭만 탐낸다고 하잖아요.
평상시에 소박함 부분에서도 아름다움과 즐거움을 찾으셨으면 해요.

000-31

Artwork Prompt

Spaceship, Woofo night sky sticker, playful watercolor style sticker, prominent bold edges, white background, the sticker should have a distinct white border similar to a cut-out effect. Add subtle shadows distributed evenly throughout the sticker to give it a slightly lifted look. The stickers should be arranged in a neat grid on a white background. It should have a wintry feel to it. It should be mysterious and beautiful. The feeling of space and the feeling of winter should be harmonious. --personalize k218hw2 qioml6z --v 6

우주선, 우포 밤하늘 스티커, 장난기 넘치는 수채화 스타일 스티커, 눈에 띄는 굵은 가장자리, 흰색 배경, 스티커는 잘라낸 효과와 비슷한 뚜렷한 흰색 테두리가 있어야 합니다. 스티커 전체에 고르게 분포된 미묘한 그림자를 추가하여 약간 들어 올려 보이도록 합니다. 스티커는 흰색 배경에 깔끔한 격자 모양으로 배열해야 합니다. 겨울 느낌이 나야 합니다. 신비롭고 아름다워야 합니다. 공간감과 겨울 느낌이 조화를 이루어야 합니다. --personalize K218HW2 QIOML6Z --V 6

[작품설명]
3기 주제는 나만의 향기를 찾아서입니다. 그래서 그 향기를 찾기 위해서 우주를 여행하는 외계인으로 마무리 지어보았습니다. 그리고 미드저니의 꽃인 개인화 P값을 중첩해서 좀 더 분위기를 더 살릴 수 있게 만들었습니다. 좀 더 자세한 P값은 별책부록에 담아두겠습니다. 그럼 3기 때 또 만나요!

000 Information

Contact Artist

Email.   yeeun742@gmail.com
SNS.   https://instagram.com/novaedu.artist
                https://x.com/metatrip_edu
Channel.   https://www.youtube.com/@metaedu77
                https://blog.naver.com/elley2/

Artist Comment

쉽고 재미있는 AI 아트, 모두의 도전!

안녕하세요, 노바에듀입니다. 이번 프롬프트 챌린지의 주제는 "사계절의 매력"
이었는데요, 31일 간의 사계절 각각의 개성 있는 매력을 잘 즐기셨나요?
프롬프트 챌린지는 AI 아트가 어렵다고 생각하시는 분들께 쉽고 재미있다는 것을
알려드리고자 기획한 챌린지였습니다. 여러분의 작품을 보며 많은 것을 배울 수
있었고, 이렇게 챌린지가 성공하게 될 수 있는 큰 원인은 항상 열정적으로 챌린지
에 도전해주신 모든 작가님들 덕분이었습니다.
또한 1기 때 참여하신 곰딴님이 제안해주시고 만들어주신 템플릿 덕분에 이렇게
멋진 프롬프트북이 또 탄생할 수 있었습니다. 다시 한 번 감사하다고 전하고 싶습
니다. 곰딴님이 아니었다면 프롬프트 북은 없었을 것입니다. 나오고 나니 디자인이
너무 예뻐요. 그리고 챌린지가 잘 될 수 있도록 항상 격려해주시고 챙겨주신
커뮤니티매니저 돌뿌님도 감사합니다. 마지막으로 이렇게 책으로 나올 수 있도록
디자인을 만들어 주신 스튜쌤도 감사합니다. 디자인감각이 세련되어서 더 멋진
책이 탄생할 수 있었습니다.
세 분의 콜라보는 이번에도 멋졌습니다. 항상 감사해요.
마지막으로, 3기는 9월에 가상여행전문가 Dolppu님과 함께 나만의 향을 찾아
떠나는 여행을 주제로 시작됩니다. 모두의 열정 덕분에 이번 챌린지가 성공적으로
마무리되었고, 이를 기반으로 책도 출간할 수 있게 되었습니다. 진심으로 감사드립
니다. AI 아트가 쉽고 재미있다는 것을 느끼셨기를 바라며, 앞으로도 많은 도전과
즐거움을 기대합니다. 감사합니다.

000 ExtraPage

[이력]

현) 한국AI작가협회 이사장
현) 한국빅데이터교육협회 교육이사
현) WCC 1기(뤼튼공인컨설턴트)
전) 고려아카데미컨설팅 기업체 강의평가전문위원
전) 서울시교육연수원 전문강사(IT분야)

[저서]

제페토빌드잇 사용방법
메타버스 200% 활용방법
나만의 정원 메타버스
챗GPT 업무에 쉽게 활용하기(건축감리실전편/인테리어건축)
로봇터틀과 함께하는 미래여행(기초편/심화편)
Prompt Archive Book #001 공저
Novaedu 프롬프트로 그리는 AI 그림 공저

[전시이력]

2022 선물 NFT 콜렉션 그룹전, 프랑스 툴루즈/스페이셜
2023 이시카와 NFT 한일 그룹전, 이시카와 하모니 갤러리
2023 한/중/일 AI 르네상스 그룹전, 아트불 갤러리 청담
2023 귀여운 큰 나들이 전시 Season2, 성남 메종 브레첼
2023 PCW NFT Exhibition in 뉴질랜드 빅뱅14 그룹전, 뉴질랜드
2023 UCL Winter Collection NFT 그룹전 / 매봉 CAFE HYPE
2023 PCW NFT Exhibition in TOKUSIMA 그룹전, 일본 도쿠시마
2023 가장 전통적인 공간과 메타버스의 만남 그룹전, 북촌한옥마을
2023 정부혁신박람회 그룹전, 부산 벡스코 제2전시장
2023 Pararell Universe展 1st 그룹전, YMCA 다오아트스페이스
2024 Pararell Universe展 2st 그룹전, 인도 우미라 아트 갤러리
2024 그림책 마음을 잇다, 인사동 하나아트갤러리
2024 Prompt Archive Book #001 그룹전, 문래 단수이

애니영(Aniyoung)_안순영

001 Overalls

Prompt Artwork Collection

001 애니영(Aniyoung)_안순영

Artwork Prompt

polaroid instagram photo of gradient sunset, summer, beach, relaxation, vacation, blue sky, beachfront, summer time, sunset, gradient sunset

그라데이션 일몰, 여름, 해변, 휴식, 휴가, 푸른 하늘, 해변가, 여름철, 일몰, 그라데이션 일몰의 폴라로이드 인스타그램 사진, 여름, 해질녘, 일몰

001 Information

Contact Artist

Email.   hades126@naver.com
SNS.   instagram: @aniyoung2021

Artist Comment

안녕하세요! 애니영(Aniyoung)입니다

안녕하세요. 애니영(Aniyoung)입니다.

1차, 2차 프롬프트 챌린지에 참여하면서 많은 것을 배웠습니다. 다양한 스타일, 조명, 채도, 카메라 기법 등의 세부사항이 매우 도움이 되었습니다.

함께 참여하고 다른 사람의 작품을 보면서 시야가 넓어지고 창의적으로 생각하게 되었습니다. 함께였기 때문에 행복하게 도전을 마칠 수 있었습니다.

모두에게 감사드립니다.

001 Extra Page

[이력]
- 대학병원 간호사
- 한국AI작가협회 이사
- 한국코치협회 KAC인증 코치

[전시이력]
- 2024 그림책, 마음을 잇다 그룹전_하나아트갤러리
- 2024 애니영(Aniyoung) 개인전, The Four Seasons_하나아트갤러리
- 2024 프롬프트 챌린지 25 #001 아카이브 북 전시회_TAMSUI(단수이)

봄비(Spring_rain)_이성미

002 Overalls

Prompt Artwork Collection

002 봄비(spring_rain)_이성미

Artwork Prompt

Create an abstract image of a traditional Korean hanbok in soft pastel colors. The hanbok should feature a flowing, translucent, silky style with a mix of colors representing spring. The design should have a dreamy and ethereal atmosphere with soft gradients and a sense of depth and movement in the translucency. Include subtle highlights and shadows to emphasize the delicate, otherworldly look of the hanbok. There should be no text in the image. Create an abstract image of a traditional Korean hanbok in soft pastel colors. The hanbok should have a translucent, silky flow with a mix of colors symbolizing spring. The design should convey a subtle and dreamy feel with soft gradients, depth, and movement reminiscent of flower petals. Emphasize the delicate, exotic appearance of the silky fabric and translucency with subtle highlights and shadows. There should be no text in the image

부드러운 파스텔 색상으로 한국 전통 한복의 추상적인 이미지를 만들어보세요. 한복은 봄을 상징하는 색상이 혼합된 물 흐르듯 반투명한 실크 스타일이어야 합니다. 부드러운 그라데이션과 반투명의 깊이감과 움직임이 느껴지는 몽환적이고 미묘한 분위기의 디자인이어야 합니다. 한복의 섬세하고 이국적인 느낌을 강조하기 위해 미묘한 하이라이트와 그림자를 포함하세요. 이미지에는 텍스트가 없어야 합니다. 부드러운 파스텔 색상으로 한국 전통 한복의 추상적인 이미지를 만듭니다. 한복은 봄을 상징하는 색상이 혼합된 반투명하고 부드러운 흐름을 가져야 합니다. 꽃잎을 연상시키는 부드러운 그라데이션과 깊이감, 움직임으로 은은하고 몽환적인 느낌을 전달하는 디자인이어야 합니다. 실크 소재의 섬세하고 이국적인 외관과 미묘한 하이라이트와 그림자로 반투명함을 강조하세요. 이미지에 텍스트가 없어야 합니다

002 Information

Contact Artist

Email.   jsgm465@naver.com
SNS.   https://www.instagram.com/spring_rain_ai
       https://m.blog.naver.com/jsgm465

Artist Comment

안녕하세요! 봄비(spring_rain)입니다.

제가 작가명을 봄비라고 하게 된 건 봄비가 오면 봄이 온다는 소식이 잖아요. 그래서 따뜻한 봄이 온다는 게 좋아서 항상 설렜었거든요.

근데 AI로 작품을 만들면서 느꼈던 감정이 이와 비슷했던 거 같아요. 놀랍고 신기했지요. 손으로 하는 건 1도 소질이 없었던 저에게 그림이란 생각조차 할 수 없었던 영역이었지요. 하지만 AI를 알게 되고 내 생각을, 상상을 그림으로 표현할 수 있다는 것이 정말 재밌더라구요.

그래서 프롬 25 1기에 이어 2기에도 참여 하면서 좀 더 잘 하고 싶었고, 어떻게 표현할까 고민하는 시간이 조금도 싫지 않았지요. 아니 오히려 좀 행복했던 거 같아요.

그래서 한국AI작가협회에서 프롬 25를 진행하고 계신다는 사실에 감사해요. 앞으로도 계속 함께하고 싶네요. 한국AI작가협회 무한 발전하길 바랍니다.

감사합니다.

토토지(TOTOJI)_지승주

003 Overalls

Prompt Artwork Collection

003 토토지(TOTOJI)_지승주

Hot Love_Artwork Prompt

Create a romantic and intimate scene featuring a young couple kissing passionately in the water at sunset. The art style should be dreamy and detailed, with vibrant colors and dynamic lighting. The scene should include water drops and splashes to add realism and movement. The overall mood should be soft and emotional, capturing the deep bond between the couple.

일몰 때 물 속에서 열정적으로 키스하는 젊은 커플을 담은 로맨틱하고 친밀한 장면을 연출하세요. 아트 스타일은 생동감 넘치는 색상과 역동적인 조명으로 몽환적이고 디테일해야 합니다. 장면에는 현실감과 움직임을 추가하기 위해 물방울과 물보라가 포함되어야 합니다. 전체적인 분위기는 부드럽고 감성적이어야 하며, 커플 사이의 깊은 유대감을 포착해야 합니다.

003 Information

Contact Artist

Email.   stepano0116@gmail.com
SNS.   https://instagram.com/totonftartist
              https://blog.naver.com/4433232
Channel.   https://youtube.com/@user-rd6dk2qq6z
              https://thekoreantoday.com/junggu/
              https://thekoreantoday.com/seongdong/

Artist Comment

안녕하세요! 토토지(TOTOJI)입니다.

프롬프트 챌린지 1기에 이어 2기에 참여하게 되어 영광이었습니다.

저마다 같은 프롬프트를 다르게 보는 다양성과 주어진 이미지를 보고 어떻게 만들었을까 하는 그림 묘사에서 생각과 표현을 총동원해야 했습니다.

미술의 표현 방식을 잘 모르지만 김예은 이사장님의 연구와 설명으로 새로운 프롬프트를 생성해 나아가고 비교하면서 실력이 저도 모르게 향상되어 감을 느꼈습니다.

이 같은 도전이 계속되었으면 합니다.
감사합니다.

003 Extra Page

[이력]
- 동화작가
- 글작가 소리의 선물, 마법같은 순간들
- 한국AI작가협회 이사

[활동분야]
- 동화.그림작가
- 글 작가

[전시이력]
- 2024 프롬프트 챌린지 25 #001 아카이브 북 전시회_TAMSUI(단수이)
- 2024 AAiCON 2024 생성AI아티스트 초대전_AI프렌즈학회
- 2024 토토지 개인전 원행이중_하나아트 갤러리
- 2024 그림책, 마음을 잇다 그룹전_하나아트갤러리
- 2023 가장 전통적인 공간과 메타버스의 만남_북촌 물나무갤러리
- 2023 PCW NFT 그룹전 _일본 도쿠시마 청소년센터 9층
- 2023 One heart Ona art One love 청담 아트불 갤러리
- 2023 이시카와 NFT 한일 그룹전_일본 이시카와 하모니 갤러리
- 2023 UCL Four Seasons Collection: Spring, Summer, Fall, Winter_Spatial+CAFE HYPE

니카래인(NikkaLain)_최유경

004 Overalls

Prompt Artwork Collection

004 니카래인(NikkaLain)_최유경

Artwork Prompt

Stained glass illustration on white background, 3D, happy cat with a bird on its head, minimalist painting style with a touch of spring, sleeping with crossed legs, very detailed, illustration made in colors representative of drawn spring

흰색 배경에 스테인드 글라스 일러스트, 3D, 고양이 머리 위에 새가 앉아 있다. 봄의 터치가 있는 미니멀한 그림 스타일, 다리를 꼬고 자고있는, 매우 섬세하게 그려진, 봄을 대표하는 색상으로 만든 일러스트

004 Information

Contact Artist

Email.   nikka70@naver.com
SNS.   https://instagram.com/nikkalain
            https://x.com/nikkalain
Channel.   https://youtube.com/@nikkalain
Littly.   https://litt.ly/nikkalain

Artist Comment

안녕하세요! 니카래인(NikkaLain)입니다

AI프롬프트를 붓으로 이용하여 이미지를 그리고, 이야기를 만들어 내는 AI작가입니다. 꿈꾸는 식물(Dreaming Flora)시리즈와 식물과 꽃, 자연에서 에너지를 얻는 마법의 가상세계 보라랜드(Voraland)를 그리고 있습니다.

KAAAPromptChallenge 25 1, 2기 모두 참가하였습니다. 1기에 이어 2기에도 한달 동안 쉼 없이 계속되는 챌린지를 끝까지 마무리 할 수 있게 따뜻한 배움의 시간으로 채워주신 노바에듀님, 꾸준하게 지속 할 수 있게 챙겨주시고 독려해주시는 돌뿌님, 책으로 나올 수 있게 디자인 틀을 만들어주신 곰딴님, 책이 완성되기까지의 모든 마무리 편집 정리를 해주신 스튜님, 챌린지 함께 하는 열정 넘치고 멋진 동료 작가님들, 모두 감사드립니다.
3기 프롬프트 챌린지도 설렘으로 기다려봅니다.

004 Extra Page

[전시이력]

2024. 프롬프트 챌린지 25 #001 아카이브 북 전시회 |TAMSUI(단수이)
2024. 제3회 불스하트전시회 'Friendly AI'by유채꽃단(대불스in제주) |제주아트센터
2024. G밸리아트쇼 STEP3. AI는 나의 친구展 |가산 SK V1 center 20F
2024. 니카래인 개인전 Dreaming Flora - Transparent |하나아트갤러리
2024. 그림책 마음을 잇다 그룹전 |하나아트갤러리
2024. 봄의 꿈 Dream of Spring 단체전 |Lazyy 갤러리
2024. 엔타 크리에이터 단체전 THE IDENTITY of AN ARTIST |위플 갤러리
2024. 미인전 - 진정한 아름다움에 관한 고찰 |아트불 청담갤러리
2024. AI아트 굿즈전 앨리스의 마녀 |아트불 청담갤러리
2024. AIAC 조화로운 시간여행 AI를 통한 고전의 재해석 |위플 갤러리

2023. 창조의 진화, 아티스트를 말하다 |양천문화회관
2023. UCL WINTER COLLECTION |CAFE HYPE THE GALLERY
2023. Save the Bees, Save the Earth |위플갤러리
2023. 멀티버스 텐트 영화제 이상한 나라의 살롱전 단체전|온라인ZEP전시
2023. Way Maker : AI Art 새로운 길을 만드는 사람들 |사브낫바네아 갤러리
2023. 귀여운 큰 나들이 전시 Season 2 |성남 메종 브레첼
2023. Rest in Daily Life 일상의 휴식 |언커먼 갤러리
2023. 대불스 'Non-fungible X' |성남 메종 브레첼
2023. 한중일 AI 르네상스 전시회 공모당선 및 전시 |아트불 청담갤러리
2023. The Artist's Way 그해, 나의 여름 |하이드미플리즈 을지로
2023. 봄소울 전시회 |거제 거붕 백병원 신관 락희만홀
2023. 내 인생의 봄 |송파여성문화회관

2022. 리드미컬 NFT클럽 : 크리스마스 씰 컬렉션 그룹전 |코코넛박스
2022. 대불스 불스하트전 |청년예술청 SAPY, 그레이룸

[AI와 함께 만든 그림책]
2024.4. <보라랜드의 봄 - 큐오라와 봄의 꽃말>

뚜버기(ttubugi)_나인선

005 Overalls

Prompt Artwork Collection

005 뚜버기(ttubugi)_나인선

Artwork Prompt

cute, simple, plastic, Diorama, 3d render, 3d print, isometric, small led bulbs, turn on the lights, glow effect, twinkling particles, tiny world, Cute girl holding a snowman made of ice, Realist style: photo-realistic accuracy, 8K, Osher Kay, soft and dreamy portrayal, detailed portrait, unique nose, The Joseon Dynasty --ar 3:4 --v 6.0

귀여운, 단순한, 플라스틱, 디오라마, 3d 렌더링, 3d 인쇄, 등각 투영, 작은 전구, 불을 켜다, 글로우 효과, 반짝이는 입자, 작은 세계, 얼음으로 만든 눈사람을 들고있는 귀여운 소녀, 사실주의 스타일 : 사실적인 정확도, 8K, 오셔 케이, 부드럽고 꿈꾸는 묘사, 상세한 초상화, 독특한 코, 조선 시대 --ar 3:4 --v 6.0

005 Information

Contact Artist

Email.   myladyu@naver.com

SNS.   www.instagram.com/ttubugi_ai_artist

Channel.   https://www.youtube.com/channel/UCcBscyvwegywgGrSxc
           hxDEw

Artist Comment

안녕하세요! 뚜버기(ttubugi)입니다

안녕하세요 뚜버기입니다.

이번에 프롬프트 챌린지 2기를 통해 계절의 변화를 다양하게 표현해보며 4계절이 뚜렷한 대한민국에 살고 있는 것에 감사했습니다.

다양한 동기분들의 프롬프트를 보며 표현의 다채로움에 감탄하고 함께여서 든든한 시간이었습니다.

감사합니다.

005 Extra Page

[이력]
- 동화작가
- 한국AI작가협회 이사

[활동분야]
- 동화.그림작가
- 굿즈제작

[전시이력]
- 2024 프롬프트 챌린지 25 #001 아카이브 북 전시회_TAMSUI(단수이)
- 2024 그림책, 마음을 잇다 그룹전_하나아트갤러리
- 2023 Save the Bees, Save the Earth. 위플 갤러리

[저서]
- 2024 Prompt Archive Book - Prompt Challenge 25 #001 공저

자등(purplelight)_서유미

006 Overalls

Prompt Artwork Collection

006 자등(purplelight)_서유미

Artwork Prompt

Create an abstract image of the baby bird flying alone and becoming independent, flapping to fly away under the light of the full moon, a mother bird cheering next to him motifs in soft pastel colors. The birds should have flowing translucent petals with a mix of colors representing summer. The design should have an ethereal, dreamy feel with soft gradients and a sense of depth and movement in the petals. Include subtle highlights and shadows to emphasize the delicate, otherworldly look of the birds. There should be no text in the image.

홀로 날아 독립하는 아기 새, 달빛 아래로 향하여 펄럭이는, 그 옆에서 응원하는 엄마 새를 모티 브로 하는 추상적인 이미지를 창조해 보세요. 새는 여름을 상징하는 여러 가지 색상이 혼합된 반 투명 꽃잎이 흘러내려야 합니다. 부드러운 그라데이션과 꽃잎의 깊이감과 움직임으로 미묘하고 몽환적인 느낌을 주는 디자인이어야 합니다. 미묘한 하이라이트와 그림자를 포함시켜 새의 섬세 하고 다른 세상 같은 모습을 강조하세요. 이미지에 텍스트는 없어야 합니다.

006 Information

Contact Artist

Email.　　glowroad@naver.com

SNS.

Channel.

Artist Comment

아들은 사춘기, 엄마는 갱년기..
힘든 시간에 만나게 된 프롬 챌린지 25...

덕분에 감정을 예술로 풀어내는 힐링을 경험하며
나의 아기 새 니온을 둥지에서 떠나보낼 힘을 얻게 된
엄마 새 자등은 이제 새로운 여정을 시작합니다.

아기 새의 힘찬 날개짓은 이제 따스함을 품고
새로운 여정을 시작하는 엄마 새를 응원하며
여행의 동반자가 되었습니다.

서로를 응원하며...

니온아, 고맙고 사랑해!!

006 Extra Page

[이력]

- '아버지의 등꽃' AI 그림책 작가
- Prompt Archive Book - Prompt Challenge 25 #001 공저

[활동분야]

- 디지털 드로잉

[전시이력]

- 2024 PROMPT ARCHIVE BOOK #001 EXHIBITION_TAMSUI(단수이)
- 2024 PROMPT ARCHIVE BOOK #002 EXHIBITION 준비 중

사랑하는 나의 나온과 가족들.. 벗들에게 감사한 마음을 전해 봅니다.

스케치(Sketch)_김민정

007 Overalls

Prompt Artwork Collection

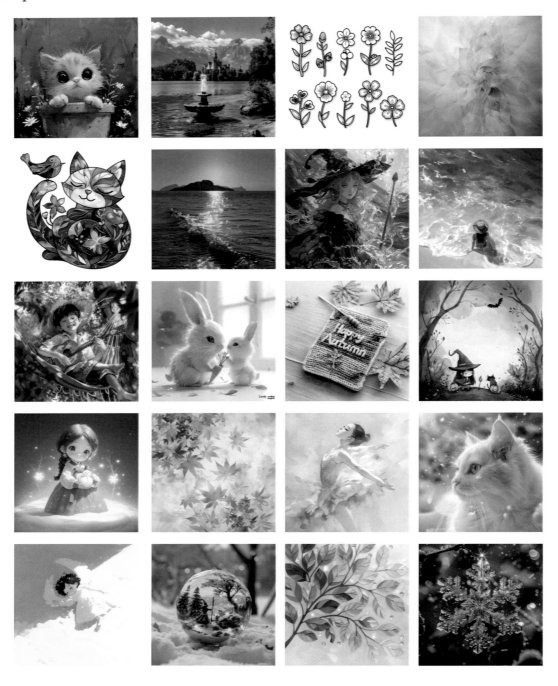

007 스케치(Sketch)_김민정

함께 걷는 길에서_Artwork Prompt

Polaroid instax photo of gradient sunset, young toddler and dog walking on rainy trail. Raincoat, umbrella and boots. The contrast with the surrounding tall trees makes the short and cute toddler stand out. A screen composition that represents the beauty of yellow, summer, and blank space. --ar 1:1

[그라데이션 일몰, 어린 유아, 비가 오는 길을 걷는 강아지의 폴라로이드 인스탁스 사진. 레인코트, 우산, 부츠. 주변의 높은 나무와의 대비로 키가 작고 귀여운 유아가 돋보입니다. 노란색, 여름, 빈 공간의 아름다움을 표현한 화면 구성

007 Information

Contact Artist

Email.   chorogbyul@hanmail.net

Artist Comment

안녕하세요! 스케치(Sketch)입니다

이번에 프롬프트 챌린지 1기에 이어 2기 챌린지도 함께 마치고 책
출판에도 참여하게 되어 뿌듯한 마음입니다.

날마다 한 가지씩 그림 묘사와 프롬프트에 도전하고 분석하여 작품을
만들며 새롭게 배우고 조금씩 성장하는 기쁨을 느꼈습니다.

함께 하는 작가님들 각각의 창의성과 개성을 담아낸 많은 작품들을
보고 영감을 나누며, 소통하는 나날이 즐거웠습니다.
이 시간들이 기억에 남을 것 같습니다.

함께 했던 모든 분들께 감사드리며 AI 예술 세계에서 앞으로도 계속
같이 행복하고 싶습니다.

007 Extra Page

[이력]

- 한국AI작가협회 회원
- 프롬프트 챌린지 25 1기
- Prompt Archive Book #001 공저 참여
- 프롬프트 챌린지 25 2기

[전시이력]

- 2024 프롬프트 챌린지 25 #001 아카이브 북 전시회_TAMSUI(단수이)

시고르자브종(SigorJavjong)_김정균

008 Overalls

Prompt Artwork Collection

008 시고르자브종(SIGORJAVJONG)_김정균

행복의 금빛 향에 이끌린 존재들_Artwork Prompt

영원(01)의 향수 컬렉션 중 행복의 금빛향. 행복한 순간들을 향에 담겼습니다. 맡는 이로 하여금 행복하게 해주는 마법. 행복의 향은 선녀뿐 아니라 토깽이, 그리고 반딧불까지 홀려 버렸답니다.

Prompt :
<Midjourney>
Cute, simple, plastic, diorama, 3d rendering, 3d printing, isometric, small LED bulbs, lights, glow effects, sparkling particles, scent world. happy. A cute Korean girl wearing a hanbok and braiding her hair in one line.
The girl is holding a perfume bottle-shaped lamp. A soft and dreamy description, a delicate portrait. --s 1000, --niji 6

귀엽고, 단순하고, 플라스틱, 디오라마, 3D 렌더링, 3D 프린팅, 아이소메트릭, 작은 LED 전구, 조명, 글로우 효과, 반짝이는 입자, 향기의 세계. 행복.
한복을 입고 한 줄로 머리를 땋은 귀여운 한국 소녀. 소녀는 향수병 모양의 램프를 들고 있다. 부드럽고 몽환적인 묘사, 섬세한 초상화.

008 Information

Contact Artist

Email.   hdchaos@naver.com
SNS.   www.instagram.com/sigorjavjong_nft
            www.x.com/JKperfumer
Littly.   https://litt.ly/sigorjavjong

Artist Comment

안녕하세요! 향수 작가 시고르자브종(SigorJavjong)입니다.

1기에는 간략한 프롬프트를 사용했지만, 이제는 묘사를 더 고민하고 어떤 프롬프트를 써서 강조해야 원하는 결과가 나오는지 고민하게 되었습니다. 강조한 부분이 그림에 잘 드러났을 때는 희열을 느끼고, 반대로 AI가 이를 이해하지 못했을 때는 상실감을 느꼈습니다. 결국 문해력이 이 부분에서 굉장히 중요한 역할을 한다는 걸 깨달았습니다.

가끔은 묘사한 것과 전혀 상반되는 그림이 나와서 당혹스러울 때도 있지만, 한편으로는 AI의 이런 엉뚱한 학습이 점차 나아지고, 점차 정확한 묘사로 이어지는 과정을 밟고 있다는 생각이 들었습니다. 지금 도전하는 우리의 시간이 언젠가 AI 학습처럼 한발 한발 앞으로 딛고 있다고 생각합니다. 다음 3기에는 사람들이 더 많이 함께해서 또 한번 멋진 챌린지로 인생의 한 페이지를 장식했으면 좋겠습니다.

008 Extra Page

[이력]
- 화학도 출신 디지털 Artist
- 한국AI작가협회 이사
- Eternal Perfume Founder
- 뉴미디어타임즈 본부장
- Art 커뮤니티 헥사곤 멤버
- 블록체인 EOS Hypha KOREA DAO 멤버

[활동분야]
- AI 아트 / 디지털 영상 Art / NFT Art 제작 및 전시
- 그림과 향을 통한 전시 / 기획 / 마케팅
- Perfume - 01의 Record 프로젝트
- 블록체인 및 Web 3.0 활동

[전시이력]
- 2024 프롬프트 챌린지 25 #001 아카이브 북 전시회_문래 TAMSUI(단수이)
- 2024 URBANBREAK_코엑스
- 2024 The scent of Eternity 개인전_인사동 하나아트 갤러리
- 2024 태화강 마두희 축제 with 황희정 조향사_울산 별별마당
- 2024 그림책, 마음을 잇다 그룹전_인사동 하나아트 갤러리
- 2024 ENTA ArtNGallery 단체전_Weple NFT Gallery
- 2024 미인전 단체전_청담 아트불 Gallery
- 2024 AI 아티스트 클럽 그룹전_Weple NFT Gallery
- 2023~2024 디지털 아티스트 3인전 Only you_성남 메종브레첼
- 2023 Save the Bees, Save the Earth_Weple NFT Gallery
- 2023 시선전 그룹전 with Perfume art_울산 사브낫 바네아
- 2023 육락전 그룹전_청년예술청 SAPY
- 2023 유락전 그룹전_노이즈 갤러리

[저서]
- 2024 Prompt Archive Book - Prompt Challenge #001 공저

스튜(STEW)_변아롱

009 Overalls

Prompt Artwork Collection

009 스튜(STEW)_변아롱

환상의 오렌지 나무를 찾아서_Artwork Prompt

a painting of a child and red panda in winter, in the style of charming character illustrations, soft color palette, booru, light teal and dark pink, colorful costumes, aquarellist, charming characters

매력적인 캐릭터 일러스트, 부드러운 컬러 팔레트, 부루, 연한 청록색과 진한 핑크색, 화려한 의상, 아쿠아렐리스트, 매력적인 캐릭터
미드저니 AI(Midjourney) + Photoshop + Procreate

사방이 눈으로 덮인 겨울 마을에 사는 소녀와 그녀의 친구 렛서팬더가 환상의 오렌지 나무를 찾아 예상치 못한 놀라운 일들이 가득 펼쳐질 모험을 떠납니다. 이윽고 오렌지 나무를 찾은 둘은 오렌지를 먹으며 즐거운 시간을 보냅니다.

009 Information

Contact Artist

    Email.   aninara2040@naver.com

    SNS.   https://www.instagram.com/stew_ai

Artist Comment

안녕하세요, 스튜입니다.

1기 전시가 시작되자마자 프롬프트 2기에 전시까지, 엄청 몰아친 느낌입니다. 이번엔 1기 작업 때문에 2기가 살짝 소홀해 진 느낌이 들어 많이 아쉬운 마음이 좀 많았어서 반성모드입니다.

다른 작가님들이 1기 때와 다르게 일취월장하신게 딱 느껴졌어요 만드시는 작품마다 창의력, 에너지들이 뿜어나오는 것이 느껴져서 너무 좋았고요, 서로 이미지를 보여주고 생성해나가면서 점점 더 욕심이 생기는 것을 느꼈습니다.

다음에 3기가 진행된다면 더 멋진 창의력을 발휘해봐야 할 것 같아요. 모두 고생 많으셨구요, 3기 때 뵐께요.^^

009 Extra Page

[이력]

- 현 우진소프트&디자인 대표
- 문화기획서로 / 집사의 책장 전속 작가 및 디자이너
- ifland 서포터즈 5~7기, 디지털 드로잉 온라인 강의 진행
- 디지털드로잉, 디자인, 전자독립출판 관련 원데이 클래스 진행
- 진로체험 강사 출강 (잠신초, 백석고, 우솔초)
- 인스타툰 & NFT 작가
- 한국AI작가협회 이사

[활동분야]

- 디지털 드로잉, 드로잉 및 굿즈 실사 인쇄 관련 출강
- CI/BI/명함/간판
- 카달로그/브로슈어/리플렛/책 편집
- 각종 판촉물 굿즈, 실사 현수막 제작
- 웹 배너, 이벤트, 홈페이지 디자인 및 제작

[전시이력]

- 2024 프롬프트 챌린지 25 #001 아카이브 북 전시회_TAMSUI(단수이)
- 2024 AAiCON 2024 생성AI아티스트 초대전_AI프렌즈학회
- 2024 변아롱 개인전, I Want to be a CAT!_하나아트갤러리
- 2024 그림책, 마음을 잇다 그룹전_하나아트갤러리
- 2024 변아롱 개인전, 버킷리스트_집사의 책장
- 2024 Festival Dufilm Coreende Toulouse 그룹전_프랑스 툴루즈
- 2024 미요시 아트 그룹전_일본 미요시 지역 교류 거점 시설 마나베야
- 2024 Pararell Universe 그룹전_인도 구자라트 우미라 아트 갤러리
- 2023 The Carol 그룹전_프랑스 Fonderie 갤러리
- 2023 Save the Bees, Save the Earth 그룹전_위플갤러리
- 2023 가장 전통적인 공간과 메타버스의 만남_북촌 물나무갤러리
- 2023 PCW NFT 그룹전 _일본 도쿠시마 청소년센터 9층
- 2023 Global DAO ART in Singapore & YMCA in Seoul 그룹전
- 2023 Voyage Exposition 그룹전_프랑스 Art61 갤러리
- 2023 한.중.일 AI 르네상스 그룹전_아트불 청담 갤러리
- 2023 이시카와 NFT 한일 그룹전_일본 이시카와 하모니 갤러리
- 2022 이별전-8인 지역작가 기획전_집사의 책장
- 2022 선물 NFT 콜렉션 그룹전_프랑스 툴루즈
- 2022 리드미컬X사랑의 열매 크리스마스 그룹전_홍대 코코넛박스
- 2022 한.중.일 글로벌 NFT 그룹전_언커먼 갤러리

링키(rinkey)_이주현

010 Overalls

Prompt Artwork Collection

010 링키(rinkey)_이주현

공생(共生)_Artwork Prompt

Stained glass illustration on white background, 2D, happy giraffe with a
bird on its back, cubisum painting style with a touch of fall, sleeping with
crossed legs, very detailed, illustration made in colors representative of
drawn spring

흰색 배경에 스테인드 글라스 일러스트, 2D, 등에 새가있는 행복한 기린, 가을의 터
치가있는 큐비 섬 페인팅 스타일, 다리를 꼬고 자고, 매우 섬세한, 그려진 봄을 대표
하는 색상으로 만든 일러스트

010 Information

Contact Artist

Email.	juhyun@bdu.ac.kr
Homepage	https://www.bdu.ac.kr/design
Instgram	bdu_design
Youtube	bdu_design

Artist Comment

상상의 날개를 펼쳐 주는 '생성형AI'

챌린지 1기를 완료하고 챌린지 2기로 달려왔습니다.

관찰한 이미지를 키워드로 표현하며 프롬프트를 만들어가는 이 여정을 통해 이제 프롬프트의 언어에 익숙해져 갑니다.

작가님들의 다양한 표현을 배우며 앞으로 발전된 우리가 되길 바랍니다.

010 Extra Page

[이력]
- 멀티미디어디자인 & 색채학 전공
- 한국AI작가협회 회원

[활동분야]
- 한국AI작가협회 회원으로 활동
- 그래픽 디자인
- 모션 그래픽

[전시이력]
- 2024 한국AI작가협회 전시
- 2023 부산디지털대학교 시각미디어디자인학과 소소한 전시회
- 2022 한국색채학회 영남지회 국제전시회
- 다수 오프라인 전시

소소한(SOSOHAN)_정진희

011 Overalls

Prompt Artwork Collection

011 소소한(SOSOHAN)_정진희

요정의 초대: 마법의 호수에서 피어난 발레의 마법_**Artwork Prompt**

A dancer performing on a stage made of water lilies in an enchanted lake, magical setting, glowing water, ethereal lights, graceful movements, casual dance attire, serene atmosphere, leisure time, floating petals, slice of life, graceful moment --ar 3:4

마법의 호수에서 수련으로 만든 무대에서 춤추는 무용수, 마법 같은 배경, 빛나는 물, 천상의 빛, 우아한 동작, 캐주얼 댄스 복장, 고요한 분위기, 여가 시간, 떠다니는 꽃잎들, 삶의 한 조각, 우아한 순간 --ar 3:4

011 Information

Contact Artist

Email.   comangbebe@gmail.com
SNS.   J_sosohan_H.instagram.com

Channel.

Artist Comment

안녕하세요, 일상생활 속에서 소소한 행복을 찾는 소소한입니다.

첫 번째 1기에 이어, 두 번째 2기까지 도전하게 되어 매우 기쁩니다.
이번에도 많은 분들과 함께할 수 있어 감사한 마음입니다.

매일매일 두 개의 과제는 하루를 여는 선물과 같았습니다. 이 선물을
통해 많은 것을 보고 느끼고 배울 수 있었습니다. 이러한 과정에서 많
은 성장을 경험했고, 더욱 발전할 수 있었습니다.

챌린지를 함께해 주신 모든 분들께 진심으로 감사드립니다. 여러분의
지원과 격려가 큰 힘이 되었습니다. 함께 해주신 여러분께 다시 한번
진심으로 감사드립니다.

011 Extra Page

[이력]
- 한국 AI 프롬25 챌린지 1기 참여
- 한국 AI 프롬25 챌린지 2기 참여

[저서]

- 2024 Prompt Archive Book - Prompt Challenge 25 #001(종이책) 공저
- 2024 Prompt Archive Book - Prompt Challenge 25 #001(전자책) 공저

[전시이력]

- 2024 Prompt Archive Book - Prompt Challenge 25 #001 그룹전_문래 단수이

엘라(ELLA)_강현정

012 Overalls

Prompt Artwork Collection

012 엘라(ELLA)_강현정

튤립의 속삭임_Artwork Prompt

A beautiful vast park filled with tulips in full bloom, a warm May daytime scene, the sky is clear and bright blue with a warm sun. A woman can be seen looking at tulips in a dress while healing herself. Tulips shake in the calm wind. Bright and vivid expressions of tulips. The woman is standing with her back. Illustration Style

활짝 핀 튤립으로 가득 찬 아름다운 광활한 공원, 따뜻한 5월의 낮 풍경, 하늘은 맑고 따뜻한 태양과 함께 밝은 파란색입니다. 한 여성이 드레스를 입고 자신을 치유하면서 튤립을 바라보고 있는 것을 볼 수 있습니다. 튤립은 잔잔한 바람에 흔들립니다. 튤립의 밝고 생생한 표현입니다. 여자는 등을 대고 서 있습니다. 일러스트 스타일

012 Information

Contact Artist

Email.   hjdryad@nate.com

SNS.   https://www.instagram.com/hjkang1211

Artist Comment

엘라(ELLA)_강현정

안녕하세요, 빛이라는 뜻을 가진, AI작가 [엘라(ELLA)]입니다. 저는 밝고 따뜻한 색채를 통해 행복과 희망찬 에너지를 담아 전달하기를 추구합니다. 다양한 프롬프트를 통해 AI로 구현하고, 그 과정에서 나온 작품들을 통해 감상하시면서 작은 행복을 느끼실 수 있기를 바랍니다.

프롬프트 챌린지 2기에 참여 하게 되어 즐거웠습니다.
에듀쌤, 스튜쌤, 돌뿌쌤을 포함한 프롬프트 챌린지2기 멤버분들과 함께 할 수 있어서 너무 좋았고 감사한 마음을 전합니다.
앞으로도 작품 하나하나에 빛과 에너지가 전해지는 행복을 나누는 작품으로 활동 하겠습니다.
감사합니다.

012 Extra Page

[이력]
- 국제통상학과 출신 디지털 Artist
- 한국AI작가협회 회원

[활동분야]
- 한국AI작가협회 회원으로 활동
- AI 아트 제작

[전시이력]
- 2024 Prompt Archive Book - Prompt Challenge 25 #001 그룹전_문래 단수이

[저서]
- 2024 Prompt Archive Book - Prompt Challenge 25 #001 공저

미카(MiKa)_최지영

013 Overalls

Prompt Artwork Collection

013 미카(MiKa)_최지영

여름, 수박 그리고 쟁탈전_Artwork Prompt

5-month-old American baby girl and baby boy fighting over a melon at the kitchen table, blue sky and white clouds outside the window, cute crying faces, cute clothes, midsummer, baby realistic wind,--ar 16:9,--q+,--s 750

5개월 된 미국 여자 아기와 남자 아기가 식탁에 참외를 두고 싸우는 모습, 창밖의 푸른 하늘과 흰 구름, 귀엽게 우는 얼굴, 귀여운 옷을 입고, 한여름, 아기 사실적인 바람,
--ar 16:9, --q+,--s 750

013 Information

Contact Artist

Email.   ibione79@naver.com
SNS.   www.instagram.com/mika_run_zero

Artist Comment

안녕하세요! 미카(MiKa)입니다

이번 프롬프트 챌린지 2기를 통해 처음부터 마지막까지 무언가를 완성한다는 것이 얼마나 멋진 일인지 다시금 생각하게 되었습니다.
이끌어주신 분들 손길에 감사드립니다.

상상한 것을 실제 구현하기까지 얼마나 지난한 과정을 거치고 노력이 필요한지 다시금 깨닫는 시간이었습니다.

창작의 기쁨의 세계로 한 발자국 더 나아가려 합니다.

Day별 주요 표현 안내

Day 1.
매일 똑같은 하루에 지루해하던 중 길거리를 걷다가 우연히 주운 화분.
그 화분에서 고양이를 닮은 요정이 뿅!하고 나타난 거에요.
요정이 소개하는 4계절의 매력.
기대되지 않으세요?

귀여운 요정을 표현하기 위해서 kawaii 표현을 사용했어요.
kawaii는 일본어로 귀엽다는 뜻으로 사람, 사물 또는 스타일이 귀여운 것을 나타내는 용어에요.

스타일에 대해서 좀 더 알아볼까요?

1) Kawaii
설명 : 일본의 귀여운 문화에 기반한 스타일로, 밝고 화사한 색상과 귀여운 캐릭터가 특징
예시 : 큰 눈과 귀여운 표정을 가진 고양이가 파스텔 톤의 배경 앞에서 웃고 있는 장면.
프롬프트 : A cute kawaii cat with large eyes and a sweet expression, standing in front of a pastel-colored background, kawaii style.

2) Emo
설명: 강렬한 감정 표현과 어두운 색상이 특징인 스타일로, 주로 검은색과 다크 컬러를 사용
예시 : 검정 아이섀도우와 피어싱을 한 소년이 어두운 거리에서 헤드폰을 끼고 음악을 듣고 있는 모습.
프롬프트 : An emo boy with black eyeshadow and piercings, wearing headphones and listening to music on a dark street, emo style.

3) Cottagecore
설명 : 전원생활과 자연을 테마로 한 스타일로, 따뜻하고 편안한 분위기를 자아냄
예시 : 꽃무늬 드레스를 입은 소녀가 오두막 앞에 앉아 차를 마시는 장면.
프롬프트 : A girl in a floral dress sitting in front of a cozy cottage, sipping tea, surrounded by wildflowers and trees, cottagecore style.

4) Gothic
설명 : 어두운 색채와 고딕 양식의 아름다움이 강조된 스타일
예시 : 검은색 레이스 드레스를 입고 고딕 건축물 앞에서 촛불을 든 여성.
프롬프트 : A woman in a black lace dress holding a candle, standing in front of a Gothic cathedral, gothic style.

5) Vintage
설명 : 1920년대부터 1980년대까지의 복고풍 스타일로, 클래식한 매력이 돋보임
예시 : 1960년대 스타일의 드레스를 입고 빈티지 카페에서 커피를 마시는 여인.
프롬프트 : A woman wearing a 1960s style dress, sipping coffee in a vintage cafe, surrounded by retro decor, vintage style.

6) Cyberpunk
설명 : 디지털화된 미래적 도시 풍경과 네온 색상의 조화가 특징인 스타일
예시 : 사이버펑크 도시의 거리에서 네온 라이트에 반사된 사이보그와 함께 서 있는 인물.
프롬프트 : A person standing with a cyborg on a neon-lit cyberpunk city street, with holographic advertisements and futuristic technology, cyberpunk style.

7) Steampunk
설명 : 빅토리아 시대와 산업혁명의 요소가 결합된 공상과학 스타일
예시 : 증기 기관 장치가 장착된 고글과 톱니바퀴 장식이 있는 의상을 입고 있는 남성
프롬프트 : A man wearing goggles with steam-powered gears and a costume adorned with cogs, steampunk style.

8) Bohemian(Boho)
설명 : 자유롭고 예술적인 감성이 특징이며, 다양한 패턴과 색상의 조화를 중시
예시 : 화려한 무늬의 드레스를 입고 꽃밭에서 춤을 추는 여성
프롬프트 : A woman dancing in a field of flowers, wearing a colorful patterned dress, bohemian style.

9) Minimalist
설명 : 단순함과 깔끔함을 중시하며 불필요한 장식을 배제하는 스타일
예시 : 흰 벽과 나무 가구가 있는 미니멀리즘 인테리어의 방
프롬프트 : A minimalist room with white walls and wooden furniture, minimalist style.

10) Streetwear
설명 : 현대적이고 편안한 의류를 강조하는 도시 스타일
예시 : 그래비티 벽 앞에서 후드티와 스니커즈를 입고 포즈를 취하는 청소년
프롬프트 : A teenager posing in front of a graffiti wall, wearing a hoodie and sneakers, streetwear style.

11) Normcore
설명 : 평범함과 일상적인 스타일을 강조하는 패션으로, 주로 편안한 의류를 선택
예시 : 청바지와 흰 티셔츠를 입고 커피숍에서 휴식을 취하는 사람
프롬프트 : A person relaxing in a coffee shop, wearing jeans and a white t-shirt, normcore style.

12) Fairycore
설명 : 요정과 마법, 자연의 요소를 중시하는 몽환적인 스타일
예시 : 꽃밭에서 날개를 단 요정과 함께 있는 장면
프롬프트 : A fairy with wings in a field of flowers, surrounded by magical elements, fairycore style.

13) Punk
설명 : 반항적이고 독립적인 정신을 표현하며, 주로 찢어진 옷과 스터드 장식을 사용
예시 : 전통적인 펑크 헤어스타일과 가죽 재킷을 입고 전기 기타를 치는 사람
프롬프트 : A person playing an electric guitar, with a classic punk hairstyle and a leather jacket, punk style.

14) Preppy
설명 : 고급스러움과 클래식한 스타일을 강조하는 대학생 스타일
예시 : 깔끔한 블레이저와 체크무늬 셔츠를 입은 사람이 캠퍼스에서 책을 읽는 장면
프롬프트 : A person reading a book on campus, wearing a blazer and checkered shirt, preppy style.

15) Grunge
설명 : 1990년대 시애틀에서 유행한 스타일로, 헐렁한 옷과 어두운 색상이 특징
예시 : 찢어진 청바지와 플란넬 셔츠를 입고 있는 사람이 콘서트에서 노래하는 모습
프롬프트 : A person singing at a concert, wearing ripped jeans and a flannel shirt, grunge style.

16) Artsy
설명 : 예술적 감각과 창의성을 강조하는 스타일로, 독특한 패턴과 색상이 돋보임
예시 : 화려한 페인트가 묻은 곳을 입고 캔버스 앞에 서 있는 예술가
프롬프트 : An artist standing in front of a canvas, wearing clothing splattered with vibrant paint, artsy style.

17) Classic
설명 : 언제나 유행을 타지 않는 전통적인 스타일로, 단정하고 고급스러운 분위기를 나타냄
예시 : 검은 정장과 흰 셔츠를 입고 와인 잔을 들고 있는 사람
프롬프트 : A person holding a wine glass, wearing a black suit and white shirt, classic style.

18) Y2K
설명 : 2000년대 초반의 패션과 테크놀로지에 영향을 받은 스타일로, 미래적이면서도 복고풍 감성을 가지고 있음
예시 : 반짝이는 의상과 미래지향적인 선글라스를 쓴 사람이 디지털 배경 앞에 있는 모습
프롬프트 : A person wearing shiny clothes and futuristic sunglasses, standing against a digital backdrop with early 2000s aesthetics, Y2K style.

19) Lagenlook
설명 : 여러 겹의 옷을 레이어드하는 스타일로, 독특한 실루엣 만듦
예시 : 다양한 길이의 옷을 겹쳐 입고 있는 여성이 거리에서 걷고 있는 장면
프롬프트 : A woman walking down the street, wearing layered clothing of various lengths and textures, lagenlook style.

20) Retro Futurism
설명 : 과거에 상상한 미래를 표현하는 스타일로 빈티지와 미래적인 요소가 결합됨
예시 : 우주복을 입고 빈티지 스타일의 우주선 앞에 서 있는 인물.
프롬프트 : A person in a retro-futuristic spacesuit standing in front of a vintage-style spaceship, surrounded by futuristic elements, retro futurism style.

21) Pastel Goth
설명 : 고딕 스타일에 파스텔 컬러를 결합하여 독특한 매력을 지닌 스타일, 부드러운 색상과 어두운 테마가 조화를 이루며 엣지 있는 감성을 표현
예시 : 파스텔 색상의 헤어와 검정 옷을 입은 인물이 하늘에 떠 있는 구름과 해골 장식이 있는 방에서 포즈를 취하고 있는 모습
프롬프트 : A person with pastel-colored hair wearing black clothing, posing in a room filled with clouds and skull decorations, pastel goth style.

22) Techwear
설명 : 기능성과 현대적 디자인을 중시하는 스타일, 기술적인 요소와 도시적 감성이 결합된 의류를 주로 사용
예시 : 어두운 색상의 방수 재킷과 유틸리티 벨트를 착용한 인물이 도시 야경을 배경으로 걸어가는 모습
프롬프트 : A person wearing a dark waterproof jacket and utility belt, walking against the backdrop of a cityscape at night, techwear style.

23) Glam Rock
설명 : 1970년대 화려한 록 음악 스타일, 반짝이는 소재와 과감한 메이크업이 특징
예시 : 반짝이는 의상과 과장된 헤어스타일을 한 뮤지션이 화려한 무대 위에서 공연하는 모습
프롬프트 : A musician in sparkling attire and extravagant hairstyle performing on a vibrant stage, glam rock style.

24) Ethereal
설명 : 초자연적인 아름다움을 강조하는 스타일, 가벼움과 투명함이 느껴지는 의상과 분위기 가짐
예시 : 반투명한 드레스를 입고 빛나는 호수 위를 걷는 인물, 주변에 반딧불이 날아다니는 장면
프롬프트 : A person wearing a sheer dress, walking on a shimmering lake with fireflies fluttering around, ethereal style.

Day 2.
요정이 처음 날아가서 본 장면이 공원에 가족들이 놀러온 장면이에요.
이번에는 이미지 프롬프트를 챗GPT를 이용해서 만들어보았어요.

이번 스타일에서 특별히 보시면 좋은 표현은 Vibrant입니다.
챗GPT가 만들어 준 프로프트라서 GPT에게 물어봤어요.

Vibrant라는 것은 생동감있고 활기찬 것을 의미합니다.
"vibrant"하다고 할 때, 그것은 매우 밝고 강렬하며 에너지가 넘친다는 뜻입니다.

예시를 통해 더 쉽게 이해해볼까요?

예시 1: 색상
문장: The vibrant colors of the flowers made the garden look like a painting.
설명: 여기서 "vibrant colors"는 매우 밝고 강렬한 색상을 의미합니다. 꽃들이 너무 생동감 있고 선명한 색깔을 가지고 있어서 마치 그림처럼 보인다는 뜻입니다.

예시 2: 도시의 분위기
문장: The city is known for its vibrant nightlife.
설명: "Vibrant nightlife"는 도시의 밤이 매우 활기차고 에너지 넘치는 분위기를 의미합니다. 사람들이 많고, 음악이 흐르고, 활동이 많아서 매우 생동감 있다는 뜻입니다.

예시 3: 성격
문장: Her vibrant personality makes her the life of the party.
설명: "Vibrant personality"는 그 사람의 성격이 매우 활기차고 에너지가 넘친다는 뜻입니다. 그 사람 덕분에 파티가 더 재미있고 생동감 있게 느껴진다는 의미입니다.

이처럼 "vibrant"는 무엇이든지 생동감 있고 활기찬 상태를 설명할 때 사용할 수 있습니다.

Day 3.
이번 장면은 호수 풍경이에요.
호수하면 물에 반사된 사진이 멋지죠.
그래서 카메라 기법을 조금 다뤄보았습니다.

필터

유형	필터 설명	프롬프트 예시
Vintage Filter (빈티지 필터)	과거의 사진처럼 보이게 하는 효과, 색상을 페이드하고 채도를 낮춥니다.	"A vintage-filtered photo of an old car parked on a cobblestone street."
Black and White (흑백 필터)	컬러를 제거하고 흑백으로 표현, 클래식하고 시간을 초월한 느낌을 줍니다.	"A black and white portrait of an elderly man with deep expressive eyes."
Sepia (세피아 필터)	갈색 톤의 색상 필터, 옛날 사진의 느낌을 재현합니다.	"A sepia-toned landscape of a quiet village with old wooden houses."
High Contrast (고대비 필터)	명암 대비를 강조하여 더욱 드라마틱한 이미지를 만듭니다.	"High contrast image of a bustling cityscape, emphasizing the light and shadows."
Soft Focus (소프트 포커스 필터)	이미지의 선명도를 부드럽게 하여 꿈꾸는 듯한 효과를 줍니다.	"Soft focus shot of a bride on her wedding day, creating a dreamy atmosphere."
HDR (HDR 필터)	높은 동적 범위로 세부 사항을 강화하고 더 선명한 이미지를 생성합니다.	"An HDR photo of a mountain range, enhancing the texturesof the rocks and foliage."
Saturated (채도 강화 필터)	색상의 강도를 높여 더욱 생동감 있는 이미지를 만듭니다.	"A saturated view of a colorful market, the fruits and fabrics vivid and bright."

필름

1) Kodak Portra 160
설명 : 낮은 감도(ISO 160)를 가진 컬러 네거티브 필름, 자연스러운 피부 톤과 부드러운 색감 제공, 인물 사진에 특히 적합하며, 넓은 다이내믹 레인지를 가짐
예시 : 야외에서 촬영한 인물 사진, 자연광을 활용한 부드러운 톤의 인물 촬영.
프롬프트 : A portrait of a person outdoors in soft natural light, with gentle skin tones and a serene expression, mimicking the Kodak Portra 160 film aesthetic.

2) Kodak Portra 400
설명 : 중간 감도(ISO 400)를 가진 필름으로 빠른 움직임을 포착할 수 있으며, 다양한 조명 조건에서 뛰어난 색감 제공
예시 : 활발하게 움직이는 아이들을 따뜻한 오후 햇살 아래에서 촬영한 사진
프롬프트 : Children playing in a sunlit park, captured with vivid colors and dynamic movement, replicating the Kodak Portra 400 film look.

3) Fujifilm Color C200
설명 : 저렴하면서도 높은 품질을 제공하는 ISO 200 컬러 네거티브 필름, 풍부한 색감과 날카로운 디테일이 특징
예시 : 도시 풍경에서 일상의 순간을 포착한 밝고 선명한 사진
프롬프트 : A vibrant street scene capturing everyday life with rich colors and sharp details, inspired by Fujifilm Color C200 film.

4) Kodak ColorPlus 200
설명 : 풍부한 색상과 부드러운 그레인을 가진 ISO 200 컬러 네거티브 필름, 다양한 촬영 환경에서 안정적인 결과를 제공
예시 : 공원에서 가족이 함께하는 따뜻한 분위기의 사진
프롬프트 : A warm family moment in a park, with soft grain and vivid colors, echoing the Kodak ColorPlus 200 film style.

5) Fotocola 400
설명 : 실험적인 색감과 독특한 아날로그 느낌이 돋보이는 ISO 400 컬러 네거티브 필름
예시 : 독특한 색채로 표현된 거리의 예술적인 순간들
프롬프트 : Artistic street scenes captured with experimental colors and a vintage feel, emulating the Fotocola 400 film aesthetic.

6) Agfa APX 400
설명 : 고감도와 뛰어난 그레인을 가진 ISO 400 흑백 네거티브 필름, 명확한 대비와 부드러운 그라데이션이 특징
예시 : 감정적인 흑백 인물 사진, 강한 대비와 부드러운 질감을 가진 이미지
프롬프트 : An emotional black-and-white portrait with strong contrast and soft gradients, inspired by Agfa APX 400 film.

7) Lomography Potsdam 100
설명 : 낮은 감도와 세밀한 디테일을 제공하는 ISO 100 흑백 네거티브 필름, 고전적인 흑백 사진의 매력을 느낄 수 있음
예시 : 도시의 건축물을 고요하게 담아낸 고전적인 흑백 사진
프롬프트 : A classic black-and-white photo of city architecture, capturing fine details with a timeless quality, similar to Lomography Potsdam 100 film.

8) Kodak 400TX (Tri-X 400)
설명 : 고전적인 트라이엑스 필름의 ISO 400 흑백 네거티브 필름, 고유의 질감과 풍부한 명암을 제공
예시 : 거리에서 순간의 감정을 포착한 강렬한 흑백 사진
프롬프트 : A dramatic black-and-white street photograph capturing intense emotions, reminiscent of Kodak Tri-X 400 film.

9) Justfilm Color 400
설명 : 다양한 촬영 조건에서 생생한 색감과 부드러운 톤을 제공하는 ISO 400 컬러 네거티브 필름
예시 : 자연광 속에서 촬영한 밝고 생동감 있는 인물 사진
프롬프트 : A bright and lively portrait shot in natural light, with vivid colors and smooth tones, mimicking Justfilm Color 400 film.

10) Fujifilm Instax Mini
설명 : 작은 크기의 인스턴트 사진을 제공하는 즉석 필름, 독특한 색감과 즉석 인화의 재미를 느낄 수 있음
예시 : 파티에서 친구들과 즉석으로 촬영한 즐거운 순간들
프롬프트 : Fun instant photos of friends at a party, with a nostalgic and unique color palette, inspired by Fujifilm Instax Mini film.

11) Ilford Delta 3200
설명 : 매우 높은 감도를 제공하여 저조도 환경에서 뛰어난 성능을 발휘하는 ISO 3200 흑백 필름
예시 : 밤의 도시 풍경을 담아낸 고감도의 흑백 사진
프롬프트 : A high-contrast black-and-white photograph of a city at night, capturing the urban landscape with rich details, inspired by Ilford Delta 3200 film.

12) Cinestill 800T
설명 : 텅스텐 조명에 최적화된 색감을 제공하는 ISO 800 컬러 네거티브 필름, 저조도 환경에서 독특한 색상과 질감을 제공
예시 : 네온사인과 함께 도시의 밤을 담아낸 창의적인 인물 사진
프롬프트 : A creative portrait set in a city at night with neon lights, showcasing unique colors and textures reminiscent of Cinestill 800T film.

13) Fujifilm Superia X-TRA 800
설명 : 높은 감도와 생생한 색상을 제공하는 ISO 800 컬러 네거티브 필름, 다양한 조명 환경에서 안정적인 성능을 발휘
예시 : 실내 파티에서 생동감 있는 순간을 포착한 사진
프롬프트 : A lively indoor party scene captured with vibrant colors and dynamic lighting, reflecting the Fujifilm Superia X-TRA 800 film aesthetic.

14) Kodak Portra 800
설명 : 빠른 셔터 속도와 함께 풍부한 색감과 부드러운 피부 톤을 제공하는 ISO 800 컬러 네거티브 필름
예시 : 저녁 시간의 부드러운 조명을 이용한 인물 촬영
프롬프트 : A portrait taken during the golden hour, highlighting soft skin tones and rich colors, inspired by Kodak Portra 800 film.

15) Fujifilm Velvia 50
설명 : 선명한 색상과 뛰어난 해상도를 제공하는 ISO 50 컬러 슬라이드 필름, 자연 풍경과 매크로 촬영에 적합
예시 : 강렬한 색채로 표현된 산악 풍경 사진
프롬프트 : A breathtaking mountain landscape captured with vibrant colors and fine details, mimicking Fujifilm Velvia 50 film.

16) Fujifilm Velvia 100
설명 : 선명한 색감과 높은 해상도를 제공하는 ISO 100 컬러 슬라이드 필름, 풍경 사진에 적합
예시 : 일몰의 강렬한 색채를 담은 해변 사진
프롬프트 : A vibrant sunset over the beach, captured with intense colors and sharp details, inspired by Fujifilm Velvia 100 film.

17) Kodak Ektar 100
설명 : 세계에서 가장 세밀한 그레인을 가진 필름 중 하나로, 풍부하고 선명한 색감을 제공. 다양한 조명 환경에서 뛰어난 성능을 발휘
예시 : 해변에서의 화사한 일출 사진
프롬프트 : A bright and colorful sunrise at the beach, showcasing vibrant colors and exceptional detail, reminiscent of Kodak Ektar 100 film.

18) Fujichrome Provia 100F
설명 : 자연스러운 색감과 높은 해상도를 제공하는 ISO 100 컬러 슬라이드 필름, 매크로 및 풍경 촬영에 적합
예시 : 도시의 스카이라인을 세밀하게 담아낸 사진
프롬프트 : A detailed city skyline captured with natural colors and fine resolution, inspired by Fujichrome Provia 100F film.

19) AgfaColor Neu
설명 : 부드럽고 자연스러운 색감과 높은 해상도를 제공하는 Agfa의 컬러 네거티브 필름
예시 : 자연광 아래에서 촬영한 인물의 부드러운 초상화
프롬프트 : A soft portrait of a person captured in natural light, with smooth tones and subtle colors, emulating AgfaColor Neu film.

20) Kodak Ektachrome E100
설명 : 선명한 색감과 중립적인 색 균형을 제공하는 ISO 100 컬러 슬라이드 필름, 다큐멘터리 사진이나 풍경 촬영에 적합
예시 : 풍부한 색채를 담은 자연 사진
프롬프트 : A richly colored nature photograph capturing vibrant hues and balanced tones, reflecting the Kodak Ektachrome E100 film aesthetic.

Day 4.
이번 장면은 종이에 끄적거리는 낙서에요
아이들의 그림은 항상 귀엽죠.
여러 가지로 다양하게 사용하기 좋아서 소개해드렸어요.

알아두시면 좋으실 표현은 스틱맨이에요.
아이들이 손으로 그린 것 같은 기법과 스타일은 창의적인 표현과 상상력이 가득한 특징이 가지고 있음. 다양하게 어린이가 그린 기법에 대해서 알아볼까요?

1) Stickman Art
설명 : 간단한 선으로 인체의 형태를 표현하는 기법으로, 매우 단순하고 미니멀한 형태를 갖음.
아이들이 흔히 그리는 그림으로, 인물의 기본적인 모양과 움직임을 표현
예시 : 여러 스틱맨이 축구를 하는 모습, 각기 다른 포즈와 동작을 간단한 선으로 묘사
프롬프트 : A group of stick figures playing soccer, with simple lines and basic shapes showing different poses and movements, child-like stickman style.

2) Crayon Drawing
설명 : 아이들이 색칠할 때 주로 사용하는 기법, 다양한 색상이 뚜렷하고 뭉툭한 선이 특징.
부드럽고 따뜻한 느낌을 주며, 종종 종이의 질감을 그대로 살림
예시 : 다채로운 색의 나비와 꽃이 있는 정원 장면, 크레용의 질감이 뚜렷한 그림
프롬프트 : A colorful garden scene with butterflies and flowers, showcasing vivid crayon textures and thick lines, resembling a child's crayon drawing.

3) Finger Painting
설명 : 손가락으로 그림을 그리는 기법, 직접 물감을 만져가며 그리는 자연스럽고 자유로운 스타일.
질감이 풍부하고 색상이 강렬하며, 아이들이 감각적으로 그림을 표현
예시 : 손가락 자국으로 만들어진 바닷속 풍경, 다양한 물고기와 산호초가 있는 장면
프롬프트 : An underwater scene created with finger paint, featuring various fish and corals, with rich textures and vibrant colors, similar to a child's finger painting.

4) Scribble Art
설명 : 아이들이 종이에 자유롭게 선을 긋는 낙서 스타일로, 혼란스럽고 비정형적인 선들로 구성.
창의적이고 직관적인 느낌을 주며, 감정과 에너지를 직접적으로 표현
예시 : 낙서 선으로 표현된 혼란스러운 도시 풍경, 건물과 차들이 어지럽게 얽힌 모습
프롬프트 : A chaotic cityscape drawn with scribbles, featuring tangled buildings and cars, expressing creativity and energy like a child's scribble art.

5) Collage Art
설명 : 다양한 색종이 조각이나 잡지 사진을 오려 붙여서 만드는 콜라주 스타일은 아이들의 창의성을 발휘할 수 있는 기법. 다양한 질감과 색상이 혼합되어 독특한 시각적 효과를 줌
예시 : 종이 조각으로 만들어진 동물원 풍경, 각각의 동물이 다양한 색과 패턴으로 표현됨.
프롬프트 : A zoo scene created with paper collage, where each animal is depicted with different colors and patterns, emulating a child's collage art style.

6) Chalk Drawing
설명 : 보드나 도로에 초크로 그리는 그림 스타일로, 파스텔 톤의 색상과 거친 질감이 특징. 아이들은 이 기법을 사용하여 거리와 벽을 캔버스로 활용
예시 : 도로에 그린 무지개와 구름 그림, 아이들의 손길이 느껴지는 투박한 초크선
프롬프트 : A chalk drawing of a rainbow and clouds on a sidewalk, with rough lines and pastel colors, capturing the essence of a child's chalk art.

7) Watercolor Splatter
설명 : 물감이 번지거나 튀는 기법으로, 색상과 형태가 자연스럽게 어우러져 유쾌한 이미지를 만들어 냄. 아이들은 물감의 흐름을 통해 자유로운 창작을 즐길 수 있음
예시 : 물감이 튀어오르는 나무와 새들, 물방울이 자연스럽게 번지는 모습
프롬프트 : A playful watercolor splatter painting of trees and birds, with droplets and colors blending seamlessly, resembling a child's watercolor art.

8) Dot Art
설명 : 점을 이용해 그림을 그리는 기법으로, 각각의 점들이 모여 하나의 큰 그림을 형성. 단순하면서도 인내심을 필요로 하며, 시각적인 재미를 제공
예시 : 다양한 색상의 점들로 이루어진 동그라미 무늬가 가득한 수박
프롬프트 : A dot art depiction of a watermelon filled with colorful dots and circles, showcasing patience and visual playfulness like a child's dot art.

9) Stick and Bubble Figures
설명 : 스틱맨과 유사하게 버블 형태의 인체를 그리는 기법으로, 간단한 원과 선으로 사람이나 동물을 표현. 아이들이 만화 캐릭터를 쉽게 그릴 수 있는 스타일
예시 : 버블 인형들이 춤을 추는 장면, 각기 다른 표정과 포즈가 재미있게 표현
프롬프트 : Bubble figures dancing with various expressions and poses, combining simple circles and lines to create fun characters like a child's stick and bubble art.

10) Block Coloring
설명 : 큰 영역을 한 가지 색으로 칠하는 기법으로, 명확한 경계와 단순한 형태를 가지고 있음. 이 스타일은 아이들이 색상을 구분하고 배치하는 데 도움
예시 : 큰 사각형과 원이 다양한 색상으로 채워진 건축물
프롬프트 : A colorful architectural design with large squares and circles filled in different colors, representing a child's block coloring technique.

Day 5.
이번 장면은 꽃의 추상적인 이미지에요.
꽃을 봄을 상징하는 색상과 반투명 기법을 넣어서 만들었어요.
이번 장면과 관련된 기법에 대해서 알아볼까요?

저는 봄을 상징하는 색상이 혼합된 반투명 꽃잎(a mix of colors representing spring)이라고 적었어요. 그리고 --no text 라고 적어도 되지만 There should be no text in the image라고 확실하게 이야기해 두었습니다. 포함해야 한다고 하는 부분은 Include라고 적으시면 돼요. 여기서 미묘한 하이라이트(subtle highlights) 그리고 그림자(shadows)라고 넣었답니다.

봄의 색상
1) 파스텔 핑크
설명 : 봄에 피어나는 벚꽃과 튤립을 연상시키는 부드러운 색상. 사랑스럽고 여성스러운 느낌을 주며, 로맨틱한 분위기를 자아냄
특징 : 부드럽고 달콤한 느낌, 로맨틱하고 화사한 분위기

2) 라벤더
설명 : 봄철의 따뜻한 햇살 아래서 피어나는 꽃을 상징하는 색상. 평화롭고 차분한 느낌을 주며, 고급스러운 분위기를 연출
특징 : 차분하고 우아한 느낌, 고요한 분위기

3) 파스텔 옐로우
설명 : 봄 햇살을 상징하는 부드러운 노란색으로, 따뜻하고 긍정적인 에너지를 전해줌. 기쁨과 활기를 느낄 수 있는 색상
특징 : 따뜻하고 명랑한 느낌, 긍정적이고 활기찬 분위기

4) 민트 그린
설명 : 새로운 생명이 시작되는 봄의 신선함을 나타내는 색상, 젊고 활기찬 느낌을 줌. 청량하고 자연친화적인 분위기를 만들어 줌
특징 : 신선하고 상쾌한 느낌, 젊고 자연스러운 분위기

5) 파스텔 블루
설명 : 봄의 맑고 청명한 하늘을 연상시키는 색상, 차분하고 안정적인 느낌을 줌. 신뢰감과 평온함을 느낄 수 있는 색상
특징 : 청량하고 차분한 느낌, 평화로운 분위기

6) 코랄
설명 : 봄의 생동감과 열정을 상징하는 색상으로, 활발하고 에너지 넘치는 느낌을 줌. 사랑과 창의성을 표현하는 데 적합한 색상
특징 : 활기차고 생동감 있는 느낌, 창의적이고 사랑스러운 분위기

Day 6.
이번 장면은 스티커를 이용한 작품이에요.
일반 스티커보다 작은 얼굴과 좋은 구도라는 프롬프트를 넣어서 좀 더 귀여운 스티커를 만들어보았어요.

스티커를 만드는 기법에 대해서 알아볼까요?
1) 디지털 일러스트레이션
설명 : 디지털 도구(예: Adobe Illustrator, Procreate)를 사용하여 스티커 디자인을 만들 수 있음.
이 방법은 세밀한 조정이 가능하고 다양한 색상과 효과를 적용할 수 있어 매우 유연
특징 : 정밀한 디자인, 다양한 색상 팔레트, 디지털 효과 적용
예시 : 디지털로 그린 귀여운 동물 캐릭터 스티커 세트
프롬프트 : A set of cute animal character stickers, digitally illustrated with vibrant colors and intricate details, perfect for a fun and playful design.

2) 손그림 스케치
설명 : 연필, 펜, 마커 등을 사용하여 직접 손으로 그린 디자인을 스캔하거나 사진으로 찍어 스티커로 제작. 이 방법은 아날로그의 따뜻한 감성을 살릴 수 있음
특징 : 독창적이고 따뜻한 느낌, 아날로그 감성, 손그림의 매력
예시 : 손으로 그린 꽃 스케치 스티커, 각기 다른 꽃의 디테일을 강조
프롬프트 : Hand-drawn flower sketch stickers, each with unique details and a warm, analog feel, capturing the essence of traditional art in sticker form.

3) 콜라주 기법
설명 : 다양한 종이 조각, 사진, 텍스처를 잘라 붙여서 만드는 콜라주 디자인은 독특하고 창의적인 느낌을 줌. 여러 레이어를 쌓아 복합적인 이미지를 만들 수 있음
특징 : 창의적이고 독특한 디자인, 다층적 이미지, 텍스처의 다양성
예시 : 잡지 사진과 텍스처를 활용한 빈티지 콜라주 스티커
프롬프트 : Vintage collage stickers using magazine photos and various textures, creating a unique and layered design with creative flair.

4) 워터컬러 페인팅
설명 : 물감을 사용하여 부드러운 색채와 그라데이션을 표현하는 워터컬러 스티커는 아름답고 유려한 디자인을 만들어 줌. 투명하고 흐르는 느낌이 특징
특징 : 부드러운 색상 전환, 유려한 디자인, 투명한 질감
예시 : 물감으로 그린 자연 풍경 스티커, 부드러운 색감으로 구현
프롬프트 : Watercolor landscape stickers with soft color transitions and fluid designs, capturing the beauty of nature in delicate watercolor hues.

5) 라벨 프린팅
설명 : 텍스트와 간단한 그래픽을 포함하여 라벨 형태로 프린트하는 기법. 주로 제품 라벨이나 간단한 정보 전달용으로 사용
특징 : 명확한 정보 전달, 깔끔한 디자인, 다양한 폰트 사용
예시 : 깔끔하고 세련된 제품 라벨 스티커
프롬프트 : Sleek and elegant product label stickers with clear text and simple graphics, ideal for branding and information display.

6) 캐릭터 디자인
설명 : 애니메이션이나 만화 캐릭터를 중심으로 한 스티커 디자인으로, 캐릭터의 개성과 스토리를 강조 팬아트나 브랜드 마스코트에 많이 활용
특징 : 개성 있는 캐릭터 표현, 생동감 있는 디자인, 팬덤 문화와의 연계
예시 : 인기 애니메이션 캐릭터를 기반으로 한 스티커 세트
프롬프트 : A sticker set based on popular animation characters, featuring expressive designs and unique personalities that resonate with fans.

7) 사진 스티커
설명 : 고화질 사진을 사용하여 스티커를 제작하는 방법으로, 풍경, 인물, 음식 등 다양한 주제를 포함할 수 있음. 사실적이고 생생한 표현이 가능
특징 : 현실적이고 생생한 이미지, 고화질 표현, 다양한 주제 활용
예시 : 자연 풍경 사진을 활용한 고화질 스티커
프롬프트 : High-quality photo stickers featuring realistic images of natural landscapes, showcasing vibrant colors and detailed scenery.

8) 아이콘 그래픽
설명 : 단순한 아이콘 형태로 디자인된 스티커는 깔끔하고 직관적인 정보를 제공할 수 있음. 주로 로고, 표지판, 앱 아이콘 등에 사용
특징 : 직관적이고 깔끔한 디자인, 명확한 메시지 전달, 미니멀한 스타일
예시 : 다양한 색상과 형태의 기능성 아이콘 스티커 세트
프롬프트 : A set of functional icon stickers in various colors and shapes, offering clean and minimal designs for intuitive information display.

9) 비닐 컷 아웃
설명 : 비닐 재질을 사용하여 특정 모양으로 컷팅하여 만드는 기법으로, 차량 스티커나 야외 표지판에 많이 사용. 내구성이 뛰어나고, 깔끔한 컷팅이 특징
특징 : 내구성 높은 재질, 깔끔한 컷팅, 다양한 색상의 적용
예시 : 자동차에 부착할 수 있는 비닐 컷 아웃 스티커
프롬프트 : Durable vinyl cut-out stickers for cars, featuring sleek designs and precise cuts that stand up to outdoor conditions.

Day 7.
이번 장면은 스테인드글라스를 이용한 작품이에요.
스테인드글라스 기법에 대해서 알아볼까요?

스테인드글라스는 유리에 색을 입히거나 유리에 다양한 색의 유리 조각을 조합하여 그림이나 패턴을 만드는 기법. 이 기법은 중세 유럽의 교회와 성당에서 주로 사용되었으며, 빛이 유리를 통과하면서 생기는 색채의 아름다움이 특징

특징
1) 색상의 조화 : 다양한 색의 유리 조각을 사용하여 복잡한 디자인과 그림을 형성
2) 빛의 효과 : 자연광이나 인공광을 통과할 때, 유리의 색이 더욱 강조되어 화려한 분위기를 연출
3) 고급스러운 디자인 : 주로 종교적 또는 상징적인 그림이 많으며, 세밀한 디테일과 정교한 패턴을 가지고 있음

예시
고딕 성당의 창문에 있는 복잡한 성경 이야기 장면, 현대 건축물에서 볼 수 있는 추상적이고 기하학적인 디자인

프롬프트
A beautiful stained glass window in a gothic cathedral, depicting intricate biblical scenes with vibrant colors and light streaming through, capturing the essence of medieval stained glass art.

스테인드글라스와 유사한 기법들
1) 모자이크(Mosaic)
설명 : 작은 조각의 유리, 타일, 돌, 금속 등을 이용해 이미지를 만드는 기법. 서로 다른 색상과 재질의 조각들을 조합하여 벽화나 바닥 장식에 사용
특징 : 다양한 색채와 질감, 입체적이며 복잡한 디자인, 오래된 역사와 문화적 중요성
예시 : 고대 로마의 바닥 모자이크, 현대 건축물의 벽면 장식
프롬프트 : A vibrant mosaic artwork featuring colorful glass and stone pieces arranged in a geometric pattern, showcasing ancient Roman art techniques.

2) 비트라유(Vitrail)
설명 : 프랑스어로 '스테인드글라스'를 의미, 주로 창문을 장식하는데 사용되는 고급 예술 기법
특징 : 정교한 색상 조합, 고급스러운 분위기, 전통적인 유럽 스타일
예시 : 프랑스의 고딕 성당에서 볼 수 있는 비트라유 창문
프롬프트 : A traditional vitrail window in a French gothic cathedral, with intricate designs and rich color palettes, reflecting the elegance of medieval stained glass art.

3) 파라곤 글라스(Paragon Glass)

설명 : 스테인드글라스의 한 종류로, 보다 현대적인 디자인과 기법을 사용하여 제작

특징 : 현대적이고 혁신적인 디자인, 다양한 색채와 패턴, 전통과 현대의 조화

예시 : 현대 건축물에서의 추상적 파라곤 글라스 패널

프롬프트 : A contemporary paragon glass panel in a modern building, featuring abstract designs and vibrant colors, blending traditional stained glass techniques with modern aesthetics.

4) 사람비티 글라스(Sgraffito Glass)

설명 : 두 개 이상의 유리층을 겹쳐 긁어내어 아래층의 색이 드러나게 하는 기법

특징 : 독특한 질감과 패턴, 색상 대비, 정교한 디테일

예시 : 고대 이탈리아 장식에서 영감을 받은 사람비티 유리 패널

프롬프트 : An intricate sgraffito glass panel inspired by ancient Italian designs, showcasing contrasting colors and detailed textures.

5) 에나멜 글라스(Enamel Glass)

설명 : 유리 표면에 에나멜을 발라 굽는 기법으로, 유리에 색을 입히고 다양한 디자인을 더할 수 있음

특징 : 부드러운 색상과 질감, 다양한 디자인 가능성, 내구성 있는 마감

예시 : 에나멜 글라스로 만든 화려한 꽃무늬 장식

프롬프트 : A decorative enamel glass artwork featuring intricate floral patterns, with soft colors and a smooth finish, highlighting the versatility of enamel techniques.

6) 리드 글라스(Lead Glass)

설명 : 유리 조각들을 납으로 된 틀에 넣어 조합하는 기법, 특히 창문이나 장식품 제작에 많이 사용

특징 : 튼튼한 구조, 전통적인 미적 감각, 빛의 아름다움 강조

예시 : 클래식한 리드 글라스 창문에서의 정교한 패턴과 색채

프롬프트 : A classic lead glass window with intricate patterns and vibrant colors, capturing the timeless beauty and craftsmanship of traditional lead glasswork.

7) 유리 퓨징(Glass Fusing)

설명 : 다양한 색상의 유리를 고온에서 녹여 융합하는 기법, 독특하고 현대적인 작품을 만들 수 있음

특징 : 유려한 색상 혼합, 매끄러운 마감, 창의적인 디자인 가능성

예시 : 퓨징 기법으로 만들어진 현대적인 유리 아트 작품

프롬프트 : A modern glass artwork created using glass fusing techniques, featuring smooth color blends and creative, contemporary designs.

8) 다이크로익 글라스(Dichroic Glass)

설명 : 다이크로익 필름을 사용하여 빛에 따라 색상이 변하는 유리로, 시각적 효과가 매우 인상적

특징 : 빛에 반응하는 색상 변화, 시각적 매력, 독특한 광학 효과

프롬프트 : An eye-catching decorative piece made with dichroic glass, displaying stunning color changes and unique optical effects that captivate viewers.

Day 8.
이번 장면은 폴라로이드 인스탁스 사진을 이용한 작품이에요.
저번에 이어서 이번에도 카메라 기법에 대해서 알아볼까요?

폴라로이드 사진이라는 기법을 사용할 때는 polaroid instax photograph of [풍경], [계절]
이렇게 작성하시면 되요.

1) Portrait Photography (초상화 사진)
설명 : 인물의 얼굴과 표정을 중심으로 한 사진 기법으로, 인물의 개성과 감정을 포착. 인물의 캐릭터와
개성을 강조하며, 주로 스튜디오나 자연광을 활용한 환경에서 촬영
특징 : 인물의 감정 표현과 특징 강조, 조명을 활용해 얼굴의 특징과 질감 부각, 피사체의 개성을 잘
드러내는 것이 중요
예시 : 자연광 아래에서 웃고 있는 인물의 초상화는 인물 사진에서 영감을 받아 독특한 개성을 드러내
고 표현력 있는 포즈로 감정을 포착함
프롬프트 : A portrait of a person smiling under natural light, showcasing their unique personality
and capturing emotions with expressive poses, inspired by portrait photography.

2) Street Photography (스트리트 사진)
설명 : 도시의 일상적인 순간과 사람들의 생활을 자연스럽게 담아내는 사진 기법. 거리의 활기차고
다채로운 모습을 포착하며, 사회적 맥락을 반영
특징 : 즉흥적이고 자연스러운 순간, 도시의 활기와 사람들의 일상을 담고 사진 속에 숨겨진 이야기를
전달
예시 : 활기찬 도시의 일상을 포착한 생동감 넘치는 거리 풍경으로, 생동감 넘치는 색감과 사람들의 자
연스러운 순간을 포착하여 거리 사진의 본질을 반영
프롬프트 : A lively street scene capturing everyday life in a bustling city, featuring vibrant colors
and spontaneous moments of people going about their day, reflecting the essence of street
photography.

3) Product Photography (제품 사진)
설명 : 상업적 목적으로 제품을 홍보하기 위해 촬영하는 사진. 제품의 장점과 특징을 강조하며, 매력적인
조명과 배경으로 제품을 돋보이게 함
특징 : 제품의 세부 사항과 매력을 강조, 깔끔하고 산뜻한 배경을 사용하여 제품 부각, 상업적 용도로
주로 사용
예시 : 깔끔한 배경과 매력적인 조명으로 전자 기기의 기능을 보여주는 세련되고 전문적인 제품 사진으
로, 마케팅 목적에 적합
프롬프트 : A sleek and professional product photo of an electronic gadget, showcasing its
features with a clean background and appealing lighting, perfect for marketing purposes.

4) Documentary Photography (다큐멘터리 사진)

설명 : 사회적, 정치적, 역사적 사건을 기록하고 이야기하는 사진 기법. 현실을 있는 그대로 보여주며, 사회적 이슈를 강조

특징 : 현실의 모습을 있는 그대로 포착, 중요한 사회적 이슈 강조, 사진을 통해 이야기를 전달

예시 : 기후 변화가 작은 지역사회에 미치는 영향을 포착한 강력한 다큐멘터리 사진으로, 다큐멘터리 사진의 본질을 반영하여 실제 투쟁을 보여주고 사회적 인식을 고취함.

프롬프트 : A powerful documentary photo capturing the impact of climate change on a small community, showcasing real-life struggles and inspiring social awareness, reflecting the essence of documentary photography.

5) Landscape Photography (풍경 사진)

설명 : 자연의 아름다움을 포착하는 사진 기법으로, 대자연의 경이로움과 평화로운 장면을 담아냄. 풍경 사진은 주로 여행지의 경관을 기록

특징 : 자연 경관의 웅장함과 평온함을 담음, 자연광을 활용하여 아름다운 색상을 포착, 자연의 대조적인 요소를 조화롭게 담음

예시 : 일출의 고요한 해변을 담은 아름다운 풍경 사진으로, 풍경 사진에서 영감을 받아 자연의 아름다움이 주는 생생한 색감과 평화로운 분위기를 포착함

프롬프트 : A breathtaking landscape photo of a serene beach at sunrise, capturing the vibrant colors and peaceful atmosphere of nature's beauty, inspired by landscape photography.

6) Analog Photography (아날로그 사진)

설명 : 필름 카메라를 사용하여 촬영한 사진 기법으로, 디지털 카메라와는 다른 독특한 질감과 색감을 제공합니다. 전통적인 촬영 방법을 통해 촬영

특징 : 필름 특유의 질감과 색감 제공, 필름을 사용하는 전통적인 촬영 방식, 오래된 느낌과 빈티지한 감성 제공

예시 : 아날로그 사진 기법에서 영감을 받아 필름 특유의 질감과 색감을 담아낸 빈티지 아날로그 사진으로, 향수를 불러일으키는 느낌과 시대를 초월한 퀄리티를 자랑함

프롬프트 : A vintage analog photo capturing the unique textures and colors of film, with a nostalgic feel and timeless quality, inspired by analog photography techniques.

7) Lo-fi Photography (로파이 사진)

설명 : 저해상도 이미지의 특성을 강조하는 기법으로, 흔히 아날로그 장비나 저가의 카메라를 사용하여 촬영합니다. 로파이는 단순하고 감성적인 이미지를 강조

특징 : 저해상도 이미지의 특성 활용, 단순하고 감성적인 이미지로 단순한 매력 표현, 오래된 사진과 같은 빈티지한 느낌

예시 : 오래된 필름 카메라를 연상시키는 빈티지한 색감과 그레인이 돋보이는 로파이 사진으로, 단순하면서도 감성적인 로파이 사진의 본질을 담아냄

프롬프트 : A nostalgic lo-fi photo with vintage colors and grain, capturing the simple yet emotional essence of low-fidelity photography, reminiscent of old film cameras.

Day 9.
이번 장면도 사진과 유사한 이미지를 만들어봤어요.
미드저니에서 품질과 관련된 q 프롬프트가 사용되었습니다.
q 프롬프트에 대해서 알아볼까요?

미드저니에서 q 옵션은 생성할 이미지의 품질과 디테일을 설정하는 옵션입니다.
기본적으로 미드저니는 이미지 품질을 높여서 보다 세밀하고 복잡한 디자인을 생성할 수 있어요.
이미지에서 사용된 ―q+ 옵션은 ―q 옵션보다 더 세밀하고 고품질의 이미지를 생성할 수 있게 해요.
이 옵션은 최신 모델 업데이트 이후에 추가된 기능으로 더 나은 디테일과 색상 표현을 원하는 사용자
에게 유용해요. --q+는 기본 품질 설정과 비교하여 추가적인 품질 향상을 제공해요. 따라서 이미지의 디
테일과 해상도를 향상시켜서 더 복잡하고 아름다운 결과물을 얻을 수 있어 고급 디테일이나 색감 표현
이 중요한 프로젝트에 적합합니다.

참고로 q 품질 값은 기본적으로 1이며, 이 값의 숫자를 높이면 더 높은 품질의 이미지를 만들 수 있습
니다. 사용 가능한 값은 0.25, 0.5, 1, 2입니다.

1) --q 0.25
설명 : 간단한 디테일과 빠른 렌더링으로 이미지 생성. 빠른 시각적 피드백을 얻고자 할 때 유용
예시 : A cartoonish dragon flying over a village --q 0.25

2) --q 0.5
설명 : 중간 품질, 표준 렌더링 속도
예시 : A futuristic city skyline --q 0.5

3) --q 1
설명 : 일반적인 품질의 이미지로, 디테일과 색상 표현이 기본적으로 균형 잡혀 있음
예시 : A beautiful garden with blooming flowers at sunrise --q 1

4) --q 2
설명 : 매우 정교한 디테일과 풍부한 색감이 강조된 이미지, 렌더링 시간이 길어짐, 더 많은 GPU 사용
예시 : A fantasy castle surrounded by misty mountains --q 2

Day 10.
이번 장면은 시골풍경과 연관된 이미지로 오래된 이미지 느낌을 줘서 추억여행을 하는 컨셉으로 만들어봤어요.

오래된 느낌의 빛 바랜 느낌의 이미지를 만드는 표현에 대해서 알아볼까요?

1) 빈티지 & 레트로 일러스트레이션
설명 : 오래된 사진이나 그림의 특유의 아날로그 감성을 살려내는 기법으로, 빛 바랜 색감과 세피아 톤을 사용하여 고전적이고 아늑한 분위기를 연출. 이 스타일은 주로 시골 풍경이나 노스탤지어를 불러일으키는 장면을 표현할 때 사용되며, 복고풍의 매력을 더함.
특징 : 빛 바랜 색감과 세피아 톤으로 아날로그 감성을 살린 고전적인 일러스트
예시 : 오래된 시골 풍경의 일러스트, 황갈색 세피아 톤과 부드러운 그레인 효과를 사용하여 빛 바랜 느낌을 강조한 이미지. 초원과 나무들이 어우러진 한적한 시골 마을 풍경, 아날로그 감성을 살린 빈티지 스타일.
프롬프트 : An illustration of an old countryside landscape, emphasizing a faded look with sepia tones and soft grain effects. A serene rural village scene with meadows and trees, capturing the analog charm in a vintage style.

2) 워시드 아웃 (Washed Out) 효과
설명 : 이미지의 채도를 낮추고 색감을 희미하게 만들어 오래된 사진처럼 보이게 하는 기법. 이 효과는 이미지에 깊이와 감성을 더하여 과거로의 여행을 떠나는 듯한 느낌을 주며, 낡고 오래된 느낌을 강조
특징 : 채도를 낮추고 색을 희미하게 하여 과거의 노스탤지아를 불러일으키는 효과
예시 : 워시드 아웃 효과로 채도가 낮아지고 색이 희미해진 오래된 시골 풍경, 부드러운 포커스와 옅은 톤을 사용하여 과거의 노스탤지아를 불러일으키는 이미지. 들판과 오래된 헛간이 있는 농촌 장면.
프롬프트 : An old countryside scene with a washed-out effect, featuring low saturation and soft focus, evoking nostalgia of the past. A rural landscape with fields and an old barn, in a gentle and faded tone.

3) 세피아 필터 (Sepia Filter)
설명 : 이미지에 따뜻한 황갈색 톤을 적용하여 오래된 사진의 느낌을 만드는 기법. 이 필터는 이미지를 더욱 클래식하고 우아하게 표현할 수 있으며, 특히 빈티지한 분위기를 강조할 때 효과적
특징 : 황갈색 세피아 톤을 사용하여 고풍스러운 클래식한 분위기를 연출
예시 : 세피아 필터를 사용하여 황갈색 톤으로 표현된 시골 풍경, 부드러운 디테일과 클래식한 분위기로 과거의 농촌 생활을 담은 이미지. 오래된 농가와 들판이 있는 장면.
프롬프트 : A countryside scene in sepia tones, using a sepia filter to create a warm and vintage look. An old farmstead and fields, capturing the classic charm of rural life in the past.

Day 11.
이번 장면은 카즈오 우메즈 스타일 기법으로 만들었어요.

카즈오 우메즈 스타일에 대해서 알아볼까요?

우메즈 카오루의 스타일은 기괴하고도 생동감 있는 공포를 특징으로 하며, 독특한 선화와 강렬한 표현력으로 인간의 내면적 두려움을 시각화합니다. 그는 사회적 문제와 인간 본성을 탐구하는 작품을 통해 독특한 심리적 공포를 창조하며, 종종 일상적인 상황을 비틀어 기괴한 분위기를 만들어 냅니다.

특징
- 디테일한 선화: 우메즈 카오루는 매우 세밀하고 디테일한 선화를 통해 인물과 배경을 사실적으로 그림. 그의 스타일은 인간의 표정과 신체의 왜곡을 강조하며, 이를 통해 불안한 분위기를 조성.
- 강렬한 대비: 그의 작품은 흑백의 강렬한 대비를 사용하여 시각적 긴장감을 극대화. 이 강렬한 대비는 독자에게 심리적 압박을 가하고 공포감을 조성하는 데 큰 역할을 함.
- 기괴한 얼굴과 표현: 인물들의 눈과 표정을 과장되게 그려서 기괴하고 무서운 느낌을 줌. 특히, 눈이 크고 동공이 작아 인물들이 불안해 보이도록 그리는 것이 특징적.
- 사회적 주제: 우메즈의 작품은 자주 사회적 문제나 인간 본성을 주제로 삼아, 독자가 공감할 수 있는 일상의 공포를 다룸. 예를 들어, 가족 간의 갈등이나 사회적 소외 같은 주제를 탐구.
- 초현실적 요소: 그의 만화는 종종 초현실적인 요소를 포함하여, 현실과 환상 사이의 경계를 흐리게 만듦. 이는 독자에게 독특한 상상의 세계를 경험하게 함.
- 복잡한 심리 묘사: 인물들의 심리 상태를 깊이 있게 묘사하여 독자가 인물의 두려움과 고통에 몰입하게 함.

예시 작품
《공포의 학원》(恐怖の学校, The Drifting Classroom)
학교가 갑자기 다른 차원으로 이동하면서 발생하는 학생들의 생존 이야기를 다룬 작품, 인간의 절망과 공포를 생생하게 그려냄.
《고양이 눈의 아이》(ねこ目の少年, The Cat Eyed Boy)
인간과 괴물 사이의 경계를 탐구하며 인간의 본성에 대한 질문을 던지는 작품.
《세포X》(漂流教室, The Drifting Classroom)
알 수 없는 세포에 감염된 인간들의 변화와 그에 대한 공포를 그린 작품, 초현실적인 공포를 다룸.

예시 프롬프트
우메즈 카오루 스타일의 만화 장면, 기괴한 얼굴과 왜곡된 표현으로 강렬한 대비를 강조한 공포 만화 스타일, 초현실적 배경과 디테일한 선화로 독특한 심리적 긴장감을 표현한 이미지.
A manga scene in the style of Kazuo Umezu, featuring grotesque faces and distorted expressions with strong contrasts, in a horror manga style. The image includes a surreal background and detailed linework to convey a unique psychological tension.

Day 12.
이번 장면에서 중요한 부분은 나이트 코어 스타일과 ocean academia 기법입니다.

각각에 대해서 알아볼까요?

나이트코어 (Nightcore)
설명 : 노르웨이의 두 DJ가 2002년에 시작한 음악 프로젝트의 이름으로 시작된 음악 스타일로, 기존 음악 트랙을 빠르게 재생하고 음정을 높여 더 경쾌하고 활기찬 느낌을 주는 것이 특징. 주로 일렉트로닉, 팝, 하우스 음악을 기반으로 하며, 종종 애니메이션과 관련된 비주얼과 결합되어 시청각적인 경험을 제공
특징 : 나이트코어의 주된 특징은 빠른 비트와 높아진 음정을 사용하여 음악에 신나는 느낌을 주는 것. 이 스타일은 주로 일본 애니메이션 스타일의 비주얼과 결합되어 시각적으로도 청각적으로도 독특한 경험을 제공. 다양한 장르의 곡이 나이트코어로 리믹스되어 새로운 음악적 색깔을 입히며, 팬들이 직접 나이트코어 리믹스를 제작하고 공유하는 DIY 문화가 활발하게 이루어지고 있음.
예시 : 나이트코어 스타일의 애니메이션 장면으로, 빠르고 활기찬 비트와 함께 신나는 색감과 밝은 분위기를 표현한 이미지, 전자 음악과 애니메이션이 결합된 독특한 시각적 경험을 제공합니다.
프롬프트 : An animated scene in Nightcore style, featuring fast and energetic beats with vibrant colors and a bright atmosphere, creating a unique visual experience combining electronic music and animation.

오션 아카데미아 (Ocean Academia)
설명 : 바다와 해양 생물에서 영감을 받아 자연 친화적인 라이프스타일과 패션을 표현하는 트렌드. 이 스타일은 해양에서 영감을 받은 색감과 패턴을 활용하여 독특하고 세련된 패션을 창조하며, 자연과의 조화를 강조
특징 : 청록색, 짙은 파란색, 연한 회색, 베이지색 등 바다에서 영감을 받은 색상 팔레트를 사용하는 것이 있습니다. 이 스타일은 해양 생물 패턴과 마린룩, 그리고 바다를 연상시키는 액세서리를 활용하여 패션 요소를 구성합니다. 주로 천연 소재와 해양의 질감을 닮은 직물을 사용하여 자연 친화적인 느낌을 주며, 해양 환경 보호와 지속 가능한 패션을 중요시하는 라이프스타일을 반영
예시 : 오션 아카데미아 스타일의 해양 테마 패션으로, 바다의 색감과 해양 생물 패턴을 활용한 세련된 의상과 자연과 조화를 이루는 해양에서 영감을 받은 패션 이미지를 제공.
프롬프트 : Ocean Academia style fashion with a marine theme, featuring elegant outfits using ocean colors and marine life patterns, inspired by the harmony of nature and the sea.

Day 13.
이번 장면에서 중요한 부분은 플랫 스타일 벡터 일러스트 스타일이에요.

이런 느낌의 스타일에 대해서 알아볼까요?

플랫 스타일 벡터 일러스트
설명 : 복잡한 디테일을 생략하고 간단한 모양과 색상을 사용하여 이미지를 만드는 기법, 주로 컴퓨터에서 벡터 그래픽 소프트웨어를 사용하여 제작됨. 이 스타일은 3D 효과나 그림자를 배제하고 2D 형태로 디자인되어, 사용자에게 깔끔하고 현대적인 느낌을 줌.

특징
- 간결한 디자인: 불필요한 디테일을 제거하고 심플한 형태로 구성되어 깔끔하고 세련된 느낌을 줌.
- 밝은 색상: 선명하고 밝은 색조를 사용하여 시각적인 명료함과 흥미를 유도
- 2D 표현: 그림자나 텍스처를 사용하지 않고 평면적인 2D 그래픽으로 표현
- 직관적인 전달: 정보 전달이 쉽고 명확하여 웹 디자인이나 인포그래픽에 적합
- 확장성: 벡터 형식이기 때문에 크기 조절이 자유롭고 해상도에 관계없이 선명함을 유지

예시 : 플랫 스타일 벡터 일러스트, 간결한 형태와 밝은 색상을 사용하여 정보 전달을 직관적으로 표현한 디자인, 2D 그래픽으로 웹 디자인이나 인포그래픽에 적합한 깔끔한 이미지.

프롬프트 : Flat style vector illustration using simple shapes and bright colors to convey information intuitively, designed in 2D graphics, ideal for web design or infographics with a clean and modern look.

미니멀리즘 (Minimalism)
설명: 미니멀리즘은 디자인에서 불필요한 요소를 제거하고 핵심 요소에 집중하는 스타일.
단순함과 기능성을 중시하며, 주로 단색이나 단순한 색조, 간결한 레이아웃을 사용.
특징: 간결한 디자인, 제한된 색상 팔레트, 기능적이고 직관적인 정보 전달.
예시: 흰색 배경에 검은색 텍스트만을 사용하는 웹사이트, 불필요한 장식을 배제한 제품 포장 디자인.

레트로 스타일 (Retro Style)
설명: 레트로 스타일은 과거의 디자인 요소를 현대적으로 재해석하여 사용. 1980년대, 1990년대의 패턴, 색상, 타이포그래피 등을 활용하여 과거의 향수를 불러일으킵니다.
특징: 빈티지한 색조, 복고풍 패턴과 타이포그래피, 과거 시대의 디자인 요소 사용.
예시: 80년대 스타일의 그래픽 디자인, 복고풍 포스터와 광고 이미지.

아이소메트릭 스타일 (Isometric Style)
설명: 아이소메트릭 스타일은 3D 효과를 주지 않으면서도 입체감을 주는 평면적인 3D 표현 기법.
사물을 3차원적으로 표현하면서도 복잡한 디테일을 최소화하여 깔끔한 그래픽을 제공
특징: 입체적이면서도 평면적인 3D 표현, 세부 디테일 강조, 다각도로 볼 수 있는 복잡한 구조.
예시: 도시 전경이나 건축물의 아이소메트릭 디자인, 게임 UI에 사용되는 아이소메트릭 맵

Day 14.

이번 장면에서 중요한 부분은 앞의 이미지처럼 단순한 느낌을 낼 수 있는 클립아트 스타일입니다.

이런 느낌의 스타일에 대해서 알아볼까요?

클립아트 스타일(Clipart style)

설명 : 단순한 선과 색상으로 구성된 그래픽 이미지로, 직관적이고 명확하게 정보를 전달하기 위해 설계. 이 스타일은 주로 간결한 형태와 생동감 있는 색상을 사용하여 메시지를 시각적으로 강조하며, 종종 텍스트와 결합하여 메시지를 강화. 클립아트는 범용성이 높아 다양한 주제와 콘텐츠에 쉽게 적용

특징

- 단순한 디자인: 복잡한 디테일을 피하고 명확한 형태와 간결한 디자인을 사용
- 밝은 색상: 주의를 끌기 위해 선명하고 다양한 색상을 활용
- 다양한 주제: 교육, 비즈니스, 건강 등 다양한 주제를 포함한 디자인 요소를 제공
- 빠른 정보 전달: 직관적이고 명확한 시각적 표현으로 빠르게 정보를 전달

예시 : 간단한 선과 밝은 색상으로 구성된 클립아트 스타일의 일러스트레이션, 교육 자료에 적합한 직관적이고 명확한 그래픽 이미지.

프롬프트 : An illustration in clipart style composed of simple lines and bright colors, creating intuitive and clear graphic images suitable for educational materials.

아이콘 디자인 (Icon Design)

설명 : UI 및 UX 디자인에서 작은 크기의 시각적 요소로 사용, 직관적으로 특정 기능이나 개념을 표현

특징 : 단순한 모양과 제한된 색상을 사용하여 빠르게 인식 가능한 이미지를 제공

예시 : 단순한 형태와 제한된 색상으로 제작된 아이콘 디자인, 웹사이트 내비게이션에 사용되는 직관적이고 빠르게 인식 가능한 그래픽 이미지.

프롬프트 : An icon design created with simple shapes and limited colors, offering intuitive and quickly recognizable graphic images used in website navigation.

플랫 벡터 아트 (Flat Vector Art)

설명 : 3D 효과 없이 단순한 형태와 색상으로 이루어진 2D 그래픽 아트 스타일

특징 : 그림자나 텍스처 없이 깔끔하고 현대적인 느낌을 주며, 색상과 형태로 메시지를 전달

예시 : 3D 효과 없이 간결한 형태와 색상으로 이루어진 플랫 벡터 아트, 웹 디자인에서 사용되는 깔끔하고 현대적인 2D 그래픽 일러스트레이션.

프롬프트 : Flat vector art composed of simple shapes and colors without 3D effects, creating clean and modern 2D graphic illustrations used in web design.

Day 15.

이번 장면에서 중요한 부분은 특정한 식물을 선택할 수도 있지만 두리뭉실하게 vegetable처럼 통틀어서도 표현이 가능하다는 것이에요.

비슷한 표현을 알아볼까요?

Flora
다양한 표현
- 야생화 (Wildflowers): 자연 상태에서 피어나는 다양한 종류의 들꽃.
- 열대 식물 (Tropical Plants): 이국적이고 화려한 열대 지역의 식물들.
- 정원 식물 (Garden Plants): 정원에서 키우는 다양한 관상용 식물.
- 수생 식물 (Aquatic Plants): 물속에서 자라는 식물들, 연꽃, 수초 등.
- 약초 (Herbs): 요리나 약용으로 사용하는 다양한 허브 식물.

예시 : 열대 식물로 가득한 이국적인 정글, 거대한 잎과 화려한 꽃이 어우러진 열대 지역의 풍경, 자연의 아름다움을 담은 일러스트레이션.
프롬프트 : A tropical jungle filled with exotic plants, featuring lush foliage and vibrant flowers in a tropical landscape, capturing the beauty of nature in an illustration.

Landscape
- 자연 풍경 (Natural Landscape): 산, 호수, 숲 등 자연의 아름다움을 표현.
- 도시 풍경 (Cityscape): 현대 도시의 스카이라인과 건축물.
- 공상 풍경 (Fantasy Landscape): 상상 속의 초현실적 장소와 경관.
- 농촌 풍경 (Rural Scenery): 농장, 시골 마을, 논밭 등의 목가적인 풍경.
- 우주 풍경 (Space Scenery): 별, 행성, 은하계 등 우주의 신비로움.

예시 : 자연 풍경을 배경으로 한 평화로운 호수와 숲의 장면, 맑은 하늘과 녹음이 어우러진 조화로운 자연의 아름다움을 담은 일러스트레이션.
프롬프트 : A serene scene of a lake and forest with a natural landscape backdrop, capturing the harmonious beauty of clear skies and lush greenery in an illustration.

Day 16.
이번 장면에서 중요한 부분은 플랫 미니멀리스트 일러스트와 전신표현 기법입니다.

인물의 자세 표현에 대해서 알아볼까요?

Sitting Cross-legged (다리를 꼬고 앉다)
설명 : 다리를 꼬고 앉는 자세는 편안하면서도 집중할 때 자주 취하는 자세. 이 자세는 주로 편안한 환경에서 창의적인 작업을 하거나 명상할 때 나타남.
예시 : 한 작가가 커피숍에서 다리를 꼬고 앉아 노트북을 타이핑하고 있다
프롬프트 : A writer sitting cross-legged at a coffee shop, typing on a laptop

Standing Straight (바로 서 있다)
설명: 바로 서 있는 자세는 자신감과 경계를 나타냄. 군인, 경비원, 모델 등의 직업군에서 자주 볼 수 있으며, 중요한 순간에 주목을 끌 때 사용.
예시 : 박물관 입구에서 경비원이 바로 서 있다
프롬프트 : A guard standing straight at the museum entrance

Looking Up at the Sky (하늘을 보다)
설명: 하늘을 바라보는 자세는 생각에 잠기거나 꿈꾸는 듯한 상태를 나타냄. 아름다운 자연 현상이나 미래에 대한 상상을 할 때 흔히 볼 수 있음
예시 : 화가가 하늘을 보며 다음 작품의 색을 고민하고 있다
프롬프트 : A painter looking up at the sky contemplating the colors for her next piece

Leaning Against a Wall (벽에 기대다)
설명: 벽에 기대는 자세는 휴식하거나 비공식적인 상황에서 자주 보이며, 편안하고 여유로운 상태를 나타냄. 패션 사진이나 캐주얼한 분위기에서 많이 사용
예시 : 거리 패션 촬영 중 모델이 벽에 기대고 있다
프롬프트 : A model leaning against a wall during a street fashion shoot

Arms Crossed (팔짱을 끼다)
설명: 팔짱을 낀 자세는 방어적이거나 자신감 넘치는 태도를 나타낼 수 있음. 주로 강한 의지를 표현하거나 중요한 상황을 평가할 때 보임.
예시 : CEO가 협상 중 팔짱을 끼고 있다
프롬프트 : A CEO with arms crossed during a negotiation

Day 17.
이번 장면에서 중요한 부분은 뜨개질, 바느질 기법입니다.

뜨개질 기법에 대해서 알아볼까요?

1) 평면 뜨기 (Flat Knitting)
설명 : 한 줄씩 뜨고 뒤집어서 다음 줄을 뜨는 방식으로 평평한 직물을 만드는 기법
예시 : 뜨개질 바늘로 스카프를 평면 뜨기 방식으로 만드는 장면, 따뜻한 울실을 사용하여 부드러운 질감과 다양한 색상이 조화를 이루는 이미지.
프롬프트 : A scene of knitting a scarf using flat knitting technique with needles, showcasing warm wool yarn with soft textures and a harmonious blend of colors.

2) 원형 뜨기 (Circular Knitting)
설명 : 원형 바늘이나 여러 개의 바늘을 사용하여 튜브 형태로 연속적으로 뜨는 방식
예시 : 원형 바늘로 모자를 원형 뜨기 기법을 사용하여 만드는 장면, 다채로운 색상과 패턴이 어우러져 따뜻하고 편안한 느낌을 주는 이미지.
프롬프트 : A scene of knitting a hat using circular knitting technique with circular needles, featuring vibrant colors and patterns that create a warm and cozy feel.

3) 더블 니팅 (Double Knitting)
설명 : 두 겹으로 뜨는 기법으로, 양면이 서로 다른 색이나 패턴을 가질 수 있음
예시 : 두 가지 색상의 실을 사용하여 더블 니팅 기법으로 두꺼운 담요를 만드는 장면, 양면의 서로 다른 패턴과 색상이 조화를 이루는 이미지.
프롬프트 : A scene of creating a thick blanket using double knitting technique with two different colored yarns, showcasing the harmony of patterns and colors on both sides.

4) 케이블 니팅 (Cable Knitting)
설명 : 꼬임을 주어 복잡한 무늬를 만드는 기법
예시 : 케이블 니팅 기법으로 복잡한 꼬임 무늬가 돋보이는 스웨터를 만드는 장면, 두꺼운 울실이 고급스럽고 따뜻한 느낌을 주는 이미지.
프롬프트 : A scene of knitting a sweater using cable knitting technique, highlighting intricate twisted patterns with thick wool yarn, creating a luxurious and warm feel.

5) 페어 아일 니팅 (Fair Isle Knitting)
설명 : 여러 색상의 실을 사용하여 복잡한 도안을 만드는 기법
예시 : 페어 아일 니팅 기법을 사용하여 전통적인 무늬가 돋보이는 스웨터를 만드는 장면, 다채로운 색상의 실이 화려한 도안을 만들어내는 이미지.
프롬프트 : A scene of creating a traditional sweater using Fair Isle knitting technique, featuring vibrant yarns that form elaborate patterns.

Day 18.
이번 장면에서 중요한 부분은 수제레이스로 꾸며진 메모 표현입니다.

수제 패턴에 대해서 알아볼까요?

침 레이스 (Needle Lace)
설명 : 바늘과 실을 사용하여 매우 세밀하고 정교한 디자인을 만드는 수제 레이스 기법. 복잡한 패턴을 만들 수 있으며, 오랜 시간과 기술이 요구
예시 : 침 레이스 기법으로 제작된 고급스러운 웨딩드레스의 디테일, 복잡한 무늬와 정교한 바느질이 돋보이는 수제 레이스 작품.
프롬프트 : A luxurious wedding dress detail created using needle lace technique, showcasing intricate patterns and exquisite craftsmanship of handmade lace.

보빈 레이스 (Bobbin Lace)
설명: 여러 가닥의 실을 보빈에 감아 엮는 기법, 서로 교차시켜 복잡한 패턴을 만듦.
이 기법은 스페인과 벨기에에서 특히 인기가 많음.
예시 : 보빈 레이스 기법으로 만들어진 화려한 테이블보, 다채로운 실이 교차하며 복잡한 패턴을 형성하는 장면.
프롬프트 : A splendid tablecloth created using bobbin lace technique, where colorful threads intersect to form intricate patterns.

코바늘 레이스 (Crochet Lace)
설명 : 코바늘을 사용하여 뜨개질처럼 실을 엮어내는 기법. 다양한 두께의 실로 작업이 가능하며,
대체로 배우기 쉽고 빠르게 작업
예시 : 코바늘 레이스 기법으로 제작된 우아한 블라우스, 화려한 패턴과 부드러운 질감이 조화를 이루는 장면.
프롬프트 : An elegant blouse crafted using crochet lace technique, featuring intricate patterns and a harmonious blend of soft textures.

태팅 레이스 (Tatting Lace)
설명: 작은 보빈 또는 셔틀을 사용하여 매듭과 고리를 엮어 패턴을 만드는 기법. 매우 견고하고
내구성이 좋은 구조를 형성
예시 : 태팅 레이스 기법으로 제작된 우아한 목걸이, 매듭과 고리가 엮여 독특한 패턴을 형성하는 모습.
프롬프트 : An elegant necklace made using tatting lace technique, where knots and loops intertwine to create unique patterns.

브뤼셀 레이스 (Brussels Lace)
설명 : 매우 가는 실을 사용하여 복잡한 무늬를 만드는 기법, 주로 벨기에에서 발전한 기술. 수공예로 매우 정교하고 고급스러운 레이스를 만들어냄.
예시 : 브뤼셀 레이스 기법으로 만든 화려한 웨딩베일, 가는 실로 엮인 섬세하고 우아한 무늬가 돋보이는 장면.
프롬프트 : A luxurious wedding veil created using Brussels lace technique, featuring delicate and elegant patterns woven with fine threads.

Day 19.
이번 장면에서 중요한 부분은 글 쓸 공간에 대한 프롬프트입니다.

비슷한 표현에 대해서 알아볼까요?

화이트 스페이스 (White Space)
설명 : 디자인에서 의도적으로 비어 있는 공간을 의미하며, 텍스트나 그래픽 요소 간의 여백을 제공
예시 : 화이트 스페이스를 활용하여 디자인의 균형을 맞추고 중요한 요소를 강조하는 웹 페이지, 정보가 깔끔하게 정리된 레이아웃.
프롬프트 : A webpage utilizing white space to balance design and emphasize key elements, featuring a neatly organized layout.

마이크로 타이포그래피 (Micro Typography)
설명 : 마이크로 타이포그래피는 텍스트의 세부적인 요소를 다루는 기술로, 자간, 줄 간격, 문자 크기 등 세부적인 요소를 조정하여 가독성을 높임
예시 : 마이크로 타이포그래피를 활용하여 가독성을 개선한 웹 문서, 세부적인 자간과 줄 간격 조정으로 정보가 명확하게 전달되는 텍스트 레이아웃.
프롬프트 : A web document utilizing micro typography to enhance readability, with precise adjustments of letter spacing and line height for clear information delivery.

레터링 (Lettering)
설명 : 각 글자를 예술적으로 디자인하는 기법으로, 주로 장식적이고 독창적인 텍스트를 생성하는 데 사용
예시 : 독특한 레터링 디자인을 활용하여 포스터의 제목을 시각적으로 강화한 장면, 예술적이고 창의적인 글자 스타일로 이벤트 정보를 전달하는 이미지.
프롬프트 : A scene using unique lettering design to visually enhance the title of a poster, delivering event information with artistic and creative letter styles.

타이포그래피 히어로 이미지 (Typography Hero Image)
설명 : 웹사이트나 프린트 매체에서 대형 텍스트가 주요 시각 요소로 사용되어 첫인상을 제공하는 디자인 요소
예시 : 타이포그래피 히어로 이미지를 활용하여 웹사이트 메인 페이지에서 강렬한 첫인상을 제공하는 디자인, 대형 텍스트가 브랜드 메시지를 강조하는 장면.
프롬프트 : A design using typography hero image to provide a strong first impression on a website's main page, featuring large text emphasizing the brand message.

Day 20.
이번 장면에서 중요한 부분은 존 클라센 스타일과 유아용 아트입니다.

존 클라센 스타일 그리고 유사한 스타일에 대해서 알아볼까요?

존 클라센 스타일 (Jon Klassen Style)
설명 : 단순하고 절제된 디자인과 미니멀리즘의 미학을 활용하여, 시각적 요소를 통해 이야기를 전달하는 데 중점을 두고 있음. 그는 절제된 색상 팔레트를 사용하여 따뜻하고 편안한 분위기를 조성하며, 세련된 유머와 독특한 서사를 통해 독자의 상상력을 자극
특징 : 불필요한 디테일을 제거하고 절제된 색상 팔레트로 감정을 표현하며, 시각적 힌트와 상징을 통해 독자의 상상력을 자극하는 이야기를 만들어냄
예시 : 존 클라센 스타일의 일러스트레이션, 단순하고 절제된 색상 팔레트로 표현된 귀여운 동물 캐릭터와 간결한 배경, 시각적인 유머와 감정을 전달하는 그림.
프롬프트 : An illustration in the style of Jon Klassen, featuring cute animal characters and simple backgrounds with a minimalist and restrained color palette, conveying visual humor and emotion.

올리버 제퍼스 (Oliver Jeffers)
설명 : 개성 있는 캐릭터와 풍부한 색채를 통해 감성적인 이야기를 전달하며, 교훈적인 메시지를 담고 있는 작품으로 유명
특징 : 독특하고 사랑스러운 캐릭터들과 생생한 색상을 통해 감성적인 이야기를 전개하며, 따뜻한 메시지를 전달
예시 : 올리버 제퍼스 스타일의 일러스트레이션, 생생한 색상과 개성 있는 캐릭터들이 감성적인 이야기를 전하는 그림, 다양한 텍스처와 수채화 느낌을 강조.
프롬프트 : An illustration in the style of Oliver Jeffers, featuring vibrant colors and unique characters conveying an emotional story, with emphasis on diverse textures and watercolor effects.

데이비드 로버츠 (David Roberts)
설명 : 패션 감각이 돋보이는 독특한 캐릭터 디자인과 세심한 디테일을 통해 유머러스하고 창의적인 이야기를 만드는 작가
특징 : 시대극에서 영감을 받은 패션 감각과 세심한 디테일을 통해 독창적이고 유머러스한 이야기를 창작
예시 : 데이비드 로버츠 스타일의 일러스트레이션, 세심한 디테일과 시대극에서 영감을 받은 독특한 패션 감각을 가진 캐릭터들, 유머와 상상력이 넘치는 장면.
프롬프트 : An illustration in the style of David Roberts, featuring characters with meticulous detail and unique fashion inspired by historical settings, overflowing with humor and imagination.

Day 21.
이번 장면에서 중요한 부분은 손그림 일러스트와 지도 표현입니다.

각각에 대해서 알아볼까요?

손그림 스타일 (Hand-drawn Style)
설명 : 손으로 직접 그린 듯한 질감과 자연스러운 라인, 자유로운 형태를 특징으로 하는 아트 스타일로, 인간적인 터치와 감성을 담고 있어 친근하고 따뜻한 느낌
특징 : 자연스러운 라인과 질감을 통해 인간적인 따뜻함과 친근함을 제공하며, 각 아티스트의 개성을 반영하여 독특하고 감성적인 표현을 가능하게 함
예시 : 손그림 스타일의 일러스트레이션, 자연스러운 라인과 따뜻한 색감을 가진 자유로운 형태의 그림, 개성 있고 친근한 캐릭터들이 등장하는 장면.
프롬프트 : An illustration in hand-drawn style featuring natural lines and warm colors with free-form shapes, depicting unique and friendly characters.

스케치 스타일 (Sketch Style)
설명 : 초안이나 개요 형태의 드로잉으로, 연필이나 목탄 같은 재료로 빠르고 즉흥적으로 그려진 작품을 의미
특징 : 빠르고 즉흥적인 선과 대략적인 디테일로 자연스러운 표현을 강조하며, 연필이나 목탄의 단색 사용으로 간결한 느낌의 그림
예시 : 스케치 스타일의 일러스트레이션, 연필로 그린 빠르고 즉흥적인 선과 형태로 구성된 도시 풍경 그림.
프롬프트 : An illustration in sketch style, featuring a cityscape drawn with quick and spontaneous lines using pencil.

연필 드로잉 스타일 (Pencil Drawing Style)
설명 : 연필로 정교하게 그려진 그림을 의미하며, 섬세한 디테일과 음영 표현을 통해 깊이 있는 이미지를 만듦
특징 : 정교한 선과 음영을 통해 디테일을 강조하며, 명암 대비를 통해 입체감을 구현하는 섬세한 표현을 제공
예시 : 연필 드로잉 스타일의 일러스트레이션, 정교한 선과 음영을 통해 섬세하게 그려진 동물 초상화.
프롬프트 : An illustration in pencil drawing style, featuring a delicately drawn animal portrait with intricate lines and shading.

Day 22.
이번 장면에서 중요한 부분은 공비 스타일 기법입니다.

공비 스타일과 유사한 기법에 대해서 알아볼까요?

공비 스타일 (Gongbi Style)
설명 : 중국의 전통적인 회화 기법으로, 정밀하고 세밀한 붓놀림과 선을 통해 세부적인 디테일을 강조하는 회화 방식, "공비"라는 이름은 "정교한 붓"을 의미하며, 이 기법은 주로 역사적인 장면, 인물 초상화, 자연을 매우 사실적으로 묘사하는 데 사용
특징 : 작품의 구체적인 세부사항과 섬세한 질감을 표현하는 데 탁월하며, 주로 비단이나 고급 종이에 채색하여 완성
예시 : 공비 스타일의 전통 중국 회화, 정교한 선과 섬세한 채색으로 표현된 꽃과 새, 고전적인 아름다움을 강조한 평면적 구성의 그림.
프롬프트 : A traditional Chinese painting in Gongbi style, featuring flowers and birds with meticulous lines and delicate coloring, emphasizing classical beauty with a flat composition.

십이향화 스타일 (Shini-e Style)
설명 : 일본의 전통 회화 스타일로, 정교한 붓놀림과 깊이 있는 채색을 통해 신과 자연을 표현하는 데 중점을 둠. 주로 불교와 신토의 신성한 주제를 그림.
특징 : 섬세하고 정밀한 붓놀림과 풍부한 색채를 사용하여 자연과 신화를 조화롭게 표현하며, 신성한 존재의 웅장함과 신비로움을 강조
예시 : 십이향화 스타일의 일본 전통 회화, 정교한 붓놀림과 깊이 있는 채색으로 표현된 불교와 신토의 신성한 주제.
프롬프트 : A traditional Japanese painting in Shini-e style, featuring sacred themes of Buddhism and Shinto with meticulous brushwork and deep coloring.

기법화 스타일 (Giheumhwa Style)
설명 : 조선 시대의 궁중 화풍으로, 주로 궁정 생활과 자연을 정밀하게 묘사한 한국의 전통 회화 기법. 이 스타일은 섬세한 붓질과 화려한 색감이 특징
예시 : 기법화 스타일의 조선 궁중 회화, 섬세한 붓질과 화려한 색감으로 표현된 궁중 생활과 자연 경관.
프롬프트 : A Joseon court painting in Giheumhwa style, featuring court life and natural landscapes with delicate brushwork and vibrant colors.

미니어처 페인팅 스타일 (Miniature Painting Style)
설명 : 인도와 페르시아에서 유래된 작은 크기의 정교한 그림으로, 매우 세밀한 디테일과 색상 사용이 특징. 주로 역사적 장면과 자연을 묘사
특징 : 작은 캔버스에 세밀한 디테일과 생생한 색채를 통해 역사적 장면과 자연을 정교하게 표현하며, 작품의 작은 크기에도 불구하고 높은 수준의 예술적 기술을 요구
예시 : 미니어처 페인팅 스타일의 인도와 페르시아 전통 그림, 작은 캔버스에 세밀한 디테일과 생생한 색채로 표현된 역사적 장면과 자연.
프롬프트 : An Indian and Persian traditional painting in miniature painting style, featuring historical scenes and nature with intricate details and vivid colors on a small canvas.

Day 23.
이번 장면에서 중요한 부분은 오쉐어 케이 스타일 기법입니다.

오쉐어 케이 스타일과 유사한 스타일에 대해서 알아볼까요?

오샤레 케이 (Oshare Kei)
설명 : 오샤레(おしゃれ)는 일본어로 "멋지다" 또는 "패셔너블하다"는 의미를 가지고 있으며, 이 스타일은 기존의 비주얼 케이가 지니고 있는 어두운 이미지에서 벗어나 밝고 긍정적인 분위기를 추구
특징 : 주로 패션과 음악에서 화려하고 사랑스러운 요소를 강조하며, 밝고 경쾌한 스타일
예시 : 오샤레 케이 스타일의 일본 비주얼 록 밴드, 밝고 컬러풀한 패션과 사랑스러운 디자인이 돋보이는 무대 퍼포먼스.
프롬프트 : A Japanese visual rock band in Oshare Kei style, featuring a bright and colorful fashion with lovely designs in their stage performance.

하라주쿠 스타일 (Harajuku Style)
설명 : 도쿄의 하라주쿠 지역에서 시작된 패션 스타일, 다양한 패션 요소와 자유로운 스타일링이 특징
특징 : 다양한 패션 요소를 혼합하여 자유롭고 개성 넘치는 패션을 선보이며, 거리 패션으로서의 실험성과 독창성을 강조
예시 : 하라주쿠 스타일의 거리 패션, 다양한 패턴과 색상의 조합으로 개성을 드러내는 독창적인 패션 스타일.
프롬프트 : Street fashion in Harajuku style, showcasing a unique fashion style with a mix of various patterns and colors expressing individuality.

로리타 패션 (Lolita Fashion)
설명 : 빅토리아 시대의 복식에서 영감을 받은 일본의 패션 스타일로, 주로 레이스, 프릴, 리본 등 여성스러운 요소가 강조
특징 : 빅토리아 시대의 복식에서 영감을 받아 화려한 레이스와 프릴, 리본 등의 디테일을 활용하여 귀엽고 우아한 스타일을 강조
예시 : 로리타 패션 스타일의 여성, 빅토리아 시대의 복식에서 영감을 받은 화려한 레이스와 프릴로 가득 찬 귀엽고 우아한 의상.
프롬프트 : A woman in Lolita fashion style, dressed in cute and elegant outfits filled with lavish lace and frills inspired by Victorian era clothing.

데코라 스타일 (Decora Style)
설명 : 일본의 하라주쿠 패션 스타일 중 하나로, 밝고 컬러풀한 액세서리와 의상을 겹겹이 착용하여 화려한 모습을 연출
특징 : 다채로운 색상과 액세서리의 과감한 조합을 통해 눈에 띄는 개성 넘치는 스타일을 표현하며, 패션을 통한 자신감과 즐거움을 강조
예시 : 데코라 스타일의 패션, 다채로운 색상과 액세서리를 겹겹이 착용하여 화려한 모습을 연출하는 일본의 독특한 패션 스타일.
프롬프트 : Fashion in Decora style, showcasing a unique Japanese fashion style with layers of colorful accessories and clothes creating a vibrant appearance.

Day 24.
이번 장면에서 중요한 부분도 카메라 기법입니다.

이미지 해상도와 관련된 용어를 알아볼까요?

32K 해상도 (32K Resolution)
설명 : 30720 x 17280 픽셀로 초대형 디스플레이에서 현실적인 세부 묘사를 가능하게 하는 초고해상도 포맷
특징 : 약 5억 3천만 픽셀의 엄청난 세밀함으로 초대형 디스플레이에서 극도로 정교한 디테일을 제공하여 현실적인 시각적 경험을 선사
예시 : 32k 해상도의 초고화질 자연 풍경, 각 잎사귀와 물결까지 선명하게 표현된 대형 디지털 디스플레이용 이미지.
프롬프트 : An ultra-high definition 32k resolution image of a natural landscape, where every leaf and wave is vividly detailed for a large digital display.

UHD (Ultra High Definition)
설명 : 3840 x 2160 픽셀의 해상도로, Full HD보다 4배 더 많은 픽셀을 제공하여 보다 세밀하고 선명한 영상을 제공
특징 : Full HD보다 4배 높은 해상도로, 최신 TV와 모니터에서 선명한 화질과 생생한 색상을 통해 고급 시청 경험을 제공
예시 : UHD 해상도의 4k 자연 다큐멘터리 장면, 매우 세밀한 화질로 동물의 털과 나뭇잎의 텍스처까지 표현된 고화질 영상.
프롬프트 : A 4k UHD resolution scene from a nature documentary, with ultra-fine quality capturing the textures of animal fur and leaves in high definition.

4k 해상도 (4k Resolution)
설명 : 3840 x 2160 픽셀을 지원하여 기존 HD보다 네 배 더 높은 화질을 제공하며, 대중적으로 널리 사용되고 있는 고해상도 포맷
특징 : Full HD보다 네 배 높은 화질로, 영화와 방송에서 세밀하고 몰입감 있는 시청 경험을 제공하며, 많은 디지털 기기에서 표준 해상도로 사용
예시 : 4k 해상도의 비디오 게임 씬, 뛰어난 그래픽과 선명한 디테일이 강조된 현실적인 전투 장면.
프롬프트 : A 4k resolution video game scene with impressive graphics and sharp details, highlighting a realistic battle sequence.

8k 해상도 (8k Resolution)
설명 : 7680 x 4320 픽셀로, UHD의 네 배에 달하는 픽셀 밀도를 제공하여 극도로 세밀하고 현실적인 디테일을 표현
특징 : UHD보다 네 배 더 높은 해상도로, 초대형 디스플레이와 디지털 전시회에서 극도로 세밀한 화질을 제공하여 현실적인 시각적 경험을 선사
예시 : 8k 해상도의 디지털 아트 전시, 극도로 세밀한 디테일과 선명한 색감이 돋보이는 대형 디스플레이에 전시된 현대 예술 작품.
프롬프트 : A digital art exhibition in 8k resolution, featuring ultra-fine details and vivid colors displayed on a large screen for contemporary art.

Day 25.
이번 장면에서 중요한 부분은 booru와 Aquarellist 기법입니다.

booru 와 Aquarellist 기법에 대해서 알아볼까요?

Booru 스타일
설명 : 팬아트와 애니메이션에 영향을 받은 스타일로, 인터넷 이미지 보관소에서 자주 볼 수 있는 스타일
특징 : 일본 애니메이션과 만화의 미학을 기반으로 하며, 팬덤 문화와 결합되어 다양한 창작물로 표현
예시 : Booru 스타일의 애니메이션 캐릭터, 화려하고 선명한 색채로 표현된 개성 있는 캐릭터 디자인과 세부적인 묘사.
프롬프트 : An animated character in Booru style, featuring a unique character design with vibrant colors and detailed depiction.

Aquarellist 기법
설명 : 수채화 물감을 물에 희석하여 투명하고 부드러운 색감을 만들어내는 기법으로, 물의 흐름을 조절하여 자연스러운 색상 변화를 표현
특징 : 특히 자연 경관, 인물화, 꽃, 건축물 등을 그리는 데 자주 사용되며, 주로 투명한 레이어링을 통해 깊이와 질감을 더하며, 물감의 자연스러운 번짐과 섞임을 이용해 다양한 색조를 구현
예시 : Aquarellist 기법의 수채화 풍경, 투명한 색상과 부드러운 그라데이션을 사용하여 자연의 아름다움을 섬세하게 표현한 그림.
프롬프트 : A watercolor landscape in Aquarellist style, showcasing delicate expression of nature's beauty with transparent colors and smooth gradients.

구아슈 (Gouache) 기법
설명 : 불투명한 물감과 물을 혼합하여 사용하는 그림 기법으로, 수채화와 아크릴화의 중간 정도의 질감을 제공
특징 : 채화보다 더 두껍고 불투명한 색을 제공하며, 더욱 선명하고 진한 색상을 표현할 수 있어 다양한 텍스처를 구현하는 데 적합
예시 : 구아슈 기법의 그림, 불투명하고 선명한 색상으로 표현된 자연 풍경과 풍부한 질감.
프롬프트 : A painting using Gouache technique, featuring opaque and vibrant colors depicting a natural landscape with rich textures.

인크 워시 (Ink Wash) 기법
설명 : 먹물과 물을 사용하여 그림을 그리는 기법으로, 동양화에서 많이 사용되는 전통적인 회화 기법
특징 : 먹물의 농담을 조절하여 깊이 있는 표현과 그라데이션을 만들며, 전통적인 산수화나 인물화를 그릴 때 많이 활용
예시 : 인크 워시 기법의 동양화, 먹물과 물로 표현된 부드러운 산수화와 전통 인물화.
프롬프트 : An Asian painting using Ink Wash technique, featuring soft landscapes and traditional portraits depicted with ink and wash.

Day 26.
이번 장면에서 중요한 부분은 여성 머리 스타일 프롬프트에요.

각각에 대해서 알아볼까요?

긴 직모 (Long Straight Hair)
설명 : 곧고 매끄럽게 내려오는 머리카락으로, 단순하지만 우아한 느낌을 줍니다. 이 스타일은 관리가 쉬워 많은 사람들이 선호하는 스타일
예시 : 공식 행사에서 긴 직모를 한 여성의 우아하고 세련된 모습
프롬프트 : A woman with long straight hair at a formal event, looking elegant and sophisticated

레이어드 컷 (Layered Cut)
설명 : 층을 주어 다양한 길이로 커팅한 스타일로, 볼륨감과 경쾌한 느낌을 제공
예시 : 쇼핑몰에서 레이어드 컷을 한 젊은 여성이 쇼핑 중인 모습
프롬프트 : A young woman with a layered cut shopping in a mall, looking lively and fashionable

시스루 뱅 (See-through Bangs)
설명 : 얇고 가벼운 앞머리로, 얼굴을 자연스럽고 부드럽게 강조하는 스타일
예시 : 캠퍼스에서 시스루 뱅을 한 대학생이 걷고 있는 모습
프롬프트 : A college student with see-through bangs walking on the campus, looking youthful and trendy

히피펌 (Hippie Perm)
설명 : 자연스럽고 자유로운 느낌을 주는 웨이브 펌으로, 개성과 스타일리시함을 강조하는 스타일
예시 : 음악 페스티벌에서 히피펌을 한 소녀가 즐기고 있는 모습
프롬프트 : A girl with a hippie perm enjoying a music festival, exuding a carefree and artistic vibe

씨컬 펌 (C-Curl Perm)
설명 : 모발 끝에 C자 모양의 부드러운 컬을 주어 자연스러운 볼륨과 우아함을 강조하는 스타일
예시 : 커피 데이트에서 씨컬 펌을 한 여성이 우아하게 앉아 있는 모습
프롬프트 : A woman with a C-curl perm sitting elegantly at a coffee

픽시컷 (Pixie Cut)
설명 : 매우 짧고 깔끔한 스타일로, 얼굴의 이목구비를 돋보이게 하며 시크한 매력을 제공
예시 : 스튜디오에서 작업 중인 픽시컷의 아티스트가 창의적인 작품을 만드는 모습
프롬프트 : An artist with a pixie cut working creatively in her studio, showcasing a chic and confident style

Day 27.
이번 장면에서 중요한 부분은 세라믹 기법입니다.

각각에 대해서 알아볼까요?

도자기 장식 (Ceramic Decoration)
설명 : 다양한 기술을 사용하여 도자기 표면에 아름다움과 개성을 더하는 예술적 과정으로, 전통적인 기술부터 현대적인 창작까지 다양한 방법으로 구현
특징 : 다양한 기술과 색상으로 도자기에 독창적이고 아름다운 디자인을 더하며, 기능과 미적 가치를 동시에 제공
예시 : 복잡한 청화백자 디자인으로 장식된 도자기 접시, 전통적인 중국 패턴과 윤기 있는 마감이 돋보입니다.
프롬프트 : Porcelain plates decorated with intricate celadon-white designs, traditional Chinese patterns, and a lustrous finish.

유약 (Glazing)
설명 : 도자기 표면에 유리질 코팅을 입혀 색상과 질감을 더하고 방수 효과를 제공
특징 : 도자기의 표면을 윤기 있고 매끄럽게 만들어 미적 감각을 더함
예시 : 세라돈 유약으로 장식된 도자기 그릇, 부드러운 옥색 마감과 미세한 크래클 패턴이 특징입니다.
프롬프트 : Porcelain bowl decorated with ceradon glaze, featuring a soft jade-colored finish and a fine crackle pattern.

슬립 트레일 (Slip Trailing)
설명 : 점토 혼합물(슬립)을 도자기 표면에 적용하여 양각 무늬와 질감을 만드는 기법
특징 : 도자기에 양각 무늬를 더해 깊이와 입체감을 제공
예시 : 슬립 트레일 장식이 있는 도자기 꽃병, 돋을새김으로 표현된 정교한 기하학적 패턴이 특징입니다.
프롬프트 : Porcelain vase with slip trail decoration, featuring an intricate geometric pattern in relief.

언더글레이즈 페인팅 (Underglaze Painting)
설명 : 유약을 바르기 전에 도자기 표면에 색상을 그려넣는 기법으로, 구워진 후에도 색상이 유지
특징 : 구워진 후에도 생생한 색상과 세밀한 패턴이 유지
예시 : 언더글레이즈 페인팅이 적용된 도자기 찻잔, 세밀한 꽃무늬와 선명한 색상이 특징입니다.
프롬프트 : Porcelain teacup with underglaze painting, featuring a detailed floral pattern and vibrant colors.

Day 28.
이번 장면에서 중요한 부분은 수정기술 기법입니다.

자세히 알아볼까요?

수정구슬 기법 (Crackle Glaze Technique)
설명 : 도자기와 유리의 표면에 작은 균열 패턴을 만들어내는 장식 기술. 이 패턴은 마치 수정구슬의 표면처럼 보이며, 작품에 고급스럽고 세련된 느낌을 줌. 이러한 균열은 주로 열 충격이나 수축 차이로 인해 형성되며, 다양한 색상의 유약과 결합하여 독특한 미적 효과를 만들어냄.
특징 : 불규칙한 작은 균열을 형성하여 독특한 질감 제공, 반짝이는 효과로 고급스러운 느낌
예시 : 수정구슬 기법으로 장식된 도자기 그릇, 불규칙한 균열 패턴과 반짝이는 효과가 돋보이는 고급스러운 작품.
프롬프트 : A ceramic bowl decorated with the crackle glaze technique, featuring an irregular crackle pattern and shimmering effect for a luxurious finish.

금박 기법 (Gilding Technique)
설명 : 금박을 도자기, 유리, 또는 금속 표면에 입혀 고급스러움을 더하는 장식 기술
특징 : 작품에 황금빛의 화려함을 더하며, 고급스러운 분위기를 연출
예시 : 금박 기법으로 장식된 유리잔, 화려한 금빛 장식이 돋보이는 세련된 디자인.
프롬프트 : A glass decorated with the gilding technique, featuring elegant gold embellishments for a refined design.

에칭 기법 (Etching Technique)
설명 : 도자기나 유리 표면을 부식시켜 패턴이나 텍스처를 만들어내는 장식 방법
특징 : 부식 과정을 통해 독특한 질감과 세밀한 패턴을 구현
예시 : 에칭 기법으로 장식된 유리컵, 부식된 패턴과 독특한 질감이 돋보이는 디자인.
프롬프트 : A glass cup decorated with the etching technique, featuring corroded patterns and unique textures.

전사지 기법 (Transfer Printing Technique)
설명 : 인쇄된 무늬를 도자기나 유리 표면에 전사하여 정교한 패턴을 만드는 기술
특징 : 복잡한 패턴을 손쉽게 구현할 수 있으며, 세밀한 디테일을 강조
예시 : 전사지 기법으로 장식된 도자기 접시, 복잡한 플로랄 패턴과 세밀한 디테일이 돋보입니다.
프롬프트 : A ceramic plate decorated with the transfer printing technique, featuring intricate floral patterns and detailed craftsmanship.

Day 29.
이번 장면에서 중요한 부분은 글램아트 기법입니다.

자세히 알아볼까요?

글램아트 (Glam Art)
설명 : "glamorous"라는 단어에서 유래되었으며, 화려하고 세련된 스타일을 추구하는 예술 장르.
이 스타일은 1970년대 글램 록 음악에서 영향을 받아 시작되었으며, 대담한 색상과 반짝이는 요소를 사용하여 시각적으로 매력적인 작품을 만드는 데 중점을 둠
특징 : 강렬하고 눈에 띄는 색상 팔레트를 사용하여 시각적인 매력을 극대화, 반짝이는 소재와 디테일, 메탈릭 요소, 글리터 등을 사용하여 화려함 강조, 우아하고 세련된 디자인 요소를 통한 현대적이고 트렌디한 대담한 구성과 색상 사용으로 강렬한 시각적 임팩트
예시 : 글램아트 스타일의 패션 사진, 화려한 메이크업과 반짝이는 소재의 의상, 세련된 포즈의 패션 모델.
프롬프트 : A fashion photo in glam art style, featuring bold makeup, shiny fabric outfits, and a sophisticated pose of a fashion model.

팝 아트 (Pop Art)
설명 : 대중문화의 이미지를 활용하여 색상과 패턴을 강조하는 예술 스타일로, 현대적인 메시지를 전달하는 데 중점을 둠
특징 : 대중적인 이미지를 강렬한 색상과 대담한 구성으로 표현하여 시각적 임팩트를 줌
예시 : 팝 아트 스타일의 아트워크, 대중문화 아이콘과 강렬한 색채가 돋보이는 현대적인 작품.
프롬프트 : An artwork in pop art style, featuring popular culture icons with bold colors and a modern twist.

아르 데코 (Art Deco)
설명 : 1920-30년대에 유행했던 스타일로, 기하학적 형태와 대칭적인 디자인을 활용하여 세련되고 화려한 미적 감각을 표현
특징 : 기하학적 패턴과 대칭을 활용하여 세련된 디자인을 강조하며, 메탈릭 소재와 화려한 장식이 특징
예시 : 아르 데코 스타일의 인테리어 디자인, 기하학적 패턴과 메탈릭 장식이 돋보이는 세련된 공간.
프롬프트 : An interior design in art deco style, featuring geometric patterns and metallic decorations for a sophisticated space.

비주얼 케이 (Visual Kei)
설명 : 일본 록 음악의 서브컬처 스타일로, 극적인 메이크업과 화려한 의상, 독창적인 무대 퍼포먼스로 유명
특징 : 과감한 패션과 메이크업, 대담한 색상 사용으로 강렬한 시각적 이미지를 제공
예시 : 비주얼 케이 스타일의 패션 화보, 극적인 메이크업과 화려한 의상, 독창적인 포즈가 돋보입니다.
프롬프트 : A fashion editorial in visual kei style, featuring dramatic makeup, flamboyant outfits, and unique poses.

Day 30.
이번 장면에서 중요한 부분은 카메라 렌즈 기법입니다.

자세히 알아볼까요?

Wide-angle Lens (광각 렌즈)
설명 : 넓은 시야를 포착할 수 있는 렌즈로, 풍경 사진이나 대규모 장면을 촬영하는 데 적합
특징 : 넓은 시야각을 제공하여 더 많은 장면을 한 프레임에 담을 수 있어 풍경이나 건축 사진에 적합
예시 : 광각 렌즈로 촬영된 웅장한 풍경 사진, 넓은 시야각으로 산과 바다가 함께 보이는 장면.
프롬프트 : A breathtaking landscape photo captured with a wide-angle lens, showcasing a vast view of mountains and the sea.

Telephoto Lens (망원 렌즈)
설명 : 먼 거리의 피사체를 가깝게 확대해서 촬영할 수 있는 렌즈로, 주로 스포츠, 야생동물, 인물 사진 촬영에 사용
특징 : 좁은 시야각을 통해 피사체를 확대하여 멀리 있는 대상을 가까이서 찍는 것처럼 보이게 함
예시 : 망원 렌즈로 촬영된 스포츠 경기 장면, 움직이는 선수가 프레임을 가득 채우며 역동성을 강조합니다.
프롬프트 : A sports scene captured with a telephoto lens, highlighting the dynamic movement of the athlete filling the frame.

Fisheye Lens (어안 렌즈)
설명 : 극단적인 왜곡 효과를 제공하는 렌즈로, 넓은 시야각을 통해 둥근 이미지 효과 제공
특징 : 80도 이상의 극도로 넓은 시야각과 독특한 왜곡으로 시각적으로 흥미로운 둥근 이미지를 제공
예시 : 어안 렌즈로 촬영된 도시 풍경, 극단적인 왜곡으로 도시의 전경을 독특하게 표현합니다.
프롬프트 : An urban landscape captured with a fisheye lens, uniquely portraying the city's panorama with extreme distortion.

Macro Lens (매크로 렌즈)
설명 : 작은 피사체를 매우 자세하게 촬영할 수 있는 렌즈로, 주로 꽃, 곤충, 미세한 디테일을 찍는 데 사용
특징 : 작은 피사체를 초근접에서 촬영하여 미세한 디테일과 질감을 생생하게 표현
예시 : 매크로 렌즈로 촬영된 꽃 사진, 꽃잎의 섬세한 디테일과 화려한 색상이 돋보입니다.
프롬프트 : A flower photo captured with a macro lens, highlighting the delicate details and vibrant colors of the petals.

Prime Lens (고정 초점 렌즈)
설명 : 특정 초점 거리를 갖는 렌즈로, 높은 화질과 밝은 조리개를 제공하여 다양한 사진 스타일에 사용
특징 : 초점 거리가 고정되어 있어 화질이 뛰어나고 조리개가 밝아 저조도 환경에서도 촬영이 가능
예시 : 고정 초점 렌즈로 촬영된 인물 사진, 얕은 피사계 심도로 피사체가 돋보입니다.
프롬프트 : A portrait captured with a prime lens, highlighting the subject with a shallow depth of field.

Day 31.
이번 장면에서 중요한 부분은 개인화 코드입니다.

자세히 알아볼까요?

개인화 코드 만드는 법
1. 미드저니 랭킹 사이트(https://www.midjourney.com/rank) 를 통해서 취향을 알려준다.
2. 미드저니 랭킹을 1,000번 이상 진행하면 개인화 코드를 만들 수 있다.
3. 작가명 + 스타일 넘버 + 개인화 코드를 넣으면 멋진 작품을 쉽게 만들 수 있다.
4. 개인화 코드는 여러 개를 섞어서 사용이 가능하다.

참고) Style Reference 스타일 일관성 부여 --sref 이미지주소

개인화 코드 사용 방법
-- personalize

괜찮은 개인화 코드값
aqgi3ma ijnfwdh slrk69k lfbwhhc w9cwcih 1o1rsyh 3zncp7g

예시)
perfume, clean blue-green glass bottle, on black sand, orange flower --personalize slrk69k lfbwhhc w9cwcih

perfume, clean blue-green glass bottle, on black sand, orange flower --personalize aqgi3ma

perfume, clean blue-green glass bottle, on black sand, orange flower --personalize ijnfwdh

perfume, clean blue-green glass bottle, on black sand, orange flower --personalize lfbwhhc

Prompt Challenge 25 #002 Prompt Archive Book

발 행 | 2024년 8월 8일
저 자 | 한국AI작가협회 김예은 외 13명
펴낸이 | 한건희
펴낸곳 | 주식회사 부크크
출판사등록 | 2014.07.15(제2014-16호)
주 소 | 서울특별시 금천구 가산디지털1로 119 SK트윈타워 A동 305호
전 화 | 1670-8316
이메일 | info@bookk.co.kr

ISBN | 979-11-419-5334-8

www.bookk.co.kr